오로라 이엘로

Aurora Hielo

혜빈

오늘도 행복의 의미를 찾고 있을

우리 모두를 위해

오로라 이엘로 Aurora Hielo

Copyright 2023. 모나 Monah (혜빈)
Published on 2023. 09. 27. (1판 1쇄)
          2023. 10. 31. (1판 2쇄)

펴낸이   길혜빈
연락처   movonwriter@gmail.com

목차

행복 제작소

꿈은 행복을 만듭니다.

얼토당토않은 말이야. 피페는 오로라 제작소 정문을 지나며 생각했다. 정문에 걸린 빛바랜 문구들은 녹슬고 삐거덕댔지만, 그들은 한 번도 슬로건을 바꾸지 않았다.

하지만 그들은 틀렸다. 오로라의 꿈으로는 행복을 만들 수 없었다. 헛된 욕망으로 만들어낸 거짓 행복은 절대 진정한 현실이 될 수 없었다.

국제 통용어로 오로라 이엘로(Aurora Hielo), 한국어로 '오로라 얼음'이라 불리는 암석은 순수 행복 입자(H^a)로 구성된 신비한 물질이었다. 극지방에서 처음 발견된 오로라 얼음은 세상을 순식간에 뒤바꿔 놓았다.

오로라 얼음이 만들어내는 '오로라'는 행복의 새로운 정의가 되었다. 낮과 밤을 가리지 않고 찾아오는 오로라의 꿈. 오로라가 가공한 세상에서는 언제나 성공과 승리만이 계속되었다. 재력을 원한다면 부자가 되었고, 권력을 원한다면 왕이 되었다. 인기를 원한다면 스타가 되었고, 지식을 원한다면 석학이 되었다. 오로라의 꿈에서 불가능이란 없었다. 조건 없는 긍정은 사람들에게 평생 느껴 보지 못한 감정을 안겨다 주었다.

'세상에서 가장 특별한 사람이 된 것 같아.'

범접할 수 없는 독보적인 존재가 되는 경험. 세상 모든 이들을 발밑에 두고 가장 높은 곳으로 오르는 기분. 그건 대체 불가능한 행복이었다. 세상은 이제 오로라 얼음이 발견되기 이전으로 되돌아갈 수 없었다.

오로라 얼음의 신비한 능력은 곧 탐욕으로 번졌다. 오로라 얼음의 가격은 천정부지로 치솟았지만, 사람들은 오로라 얼음을 손에 넣기 위해 수단과 방법을 가리지 않았다. 세상은 오로라를 가질 수 있는 자와 그렇지 못한 자로 구분되었다.

오로라 얼음은 언제나 오로라가 그리 필요해 보이지 않는 사람들의 손에 안착했다. 권력과 재력, 인기와 평판, 미모와 학식을 두루 갖춘 이들일수록 더 필사적으로 오로라 얼음을 탐했다. 그들은 오로라의 꿈을 통해 존재의 가치를 증명받고 싶어 했다. 더 부유하고, 더 강해지며, 더 아름다워지고, 더 현명해지기를 원했다. 오로라 얼음은 그들이 느끼는 결핍을 하룻밤의 꿈으로 손쉽게 메워 주었고, 오로라의 꿈을 경험한 이들은 결코 오로라를 포기할 수 없었다.

그러나 부와 권력의 가장 반대편에 서 있는 사람들, 그들도 오로라 얼음을 필요로 했다. 그들에게 오로라의 꿈은 절박한 탈출구였다. 오로라가 만든 세상 속에서 그들은 생존을 걱정하지 않아도 되었고, 안정된 직장과 집과 차를 소유했으며, 사랑하는 사람들과 함께 내일을 고민하지 않고 살 수 있었다. 그들 중에는 오로라의 꿈보다 오로라 얼음을 소유하는 게 목적인 이들도 있었다. 오로라 얼음 한 조각은 백만 년 만에 떨어진 운석보다도 더 비싼 값에 거래되었다. 평생 들어보지도 못한 액수의 돈. 상상조차 할 수 없었던 삶을 손에 넣을 수 있는 기회였다. 그러니 어느 쪽으로든 오로라 얼음은 그들에게 꼭 필요했다. 그래서 그들도 눈이 뒤집힌 채로 오로라 얼음을 쫓았다. 돈이 부족해도 괜찮았다. 오로라 얼음을 손에 넣을 방법은 언제나 있었다. 오로라 얼음은 모든 걸 무릅쓰고서라도 손에 넣을 가치가 있는 존재였다.

상황이 이러니 세상이 제대로 돌아갈 리 없었다. 오로라 얼음이 사람들에게 알려진 순간부터 세상은 미쳐 돌아가기 시작했다. 몸싸움과 말싸움은 골목 어귀마다 일어나는 흔한 사건이 되었고, 매일같이 절도와 살인 등의 범법행위가 발생했다. 오로라의 꿈 덕분에 음주율과 흡연율이 줄었다는 게 유일한 장점이긴 했지만, 장점 같지도 않은 장점을 거론하는 이는 없었다. 무언가 대책이 필요했다. 세상을 주무르던 사람들은 모두 그 사실에 동의했고, 곧 그들은 한 자리에 모여 머리를 맞대고 묘책을 논의하기 시작했다.

"조절과 증가. 답은 그것뿐입니다. 오로라 얼음의 적정 사용량을 법으로 규제하고, 채굴량을 늘려야 합니다."

누군가가 그렇게 운을 띄웠다.

"적정 사용량이야 정할 수는 있겠지요. 법 만드는 게 어려운 일도 아니고 말입니다. 하지만 채굴량은 어떻게 할 겁니까? 오로라 얼음은 오로지 극지방에서만 극소량씩 생성됩니다. 오로라가 필 때만 한시적으로 밀려 들어오는 우주 미립자가 토양과 섞여 만들어지는 희귀한 암석이라고요. 현재도 매립량보다 채굴량이 압도적으로 많아 걱정인데, 여기서 어떻게 더 채굴량을 늘리겠다는 말입니까?"

"그럼 오로라 얼음을 제작하면 되지요."

"제작이요? 태양풍이 발생할 때만 우주에서 흘러 들어온다는 물질을 어떻게?"

"한번 해 보는 거지요. 못할 건 또 뭐 있겠습니까?"

오로라 제작소는 그렇게 시작되었다. 오로라 제작소의 첫 번째 이름은 '오로라 연구소'였다. 비밀리에 세워진 터라 오로라 연구소의 존재를 알고 있는 이들은 많지 않았다. 소수의 사람들이 선택한 소수의 과학자들은 오랜 낮과 밤을 지새우며 인공 오로라 얼음 제작에 매진했다.

하지만 오로라 얼음은 쉽게 만들어지지 않았다. 오로라 얼음은 순수한 행복 입자, H^a 원소로만 이루어져 있었는데, H^a 원소는 지구에서 구할 수 없는 특수한 물질이었다. 순수 H^a 원소를 만들기 위해 무수히 많은 실험이 진행되었지만, 과학자들의 절실한 시도는 번번이 실패했다. 결국 과학자들은 인공적으로 H^a 원소를 합성할 수 없다는 사실을 인정해야 했다. 우주에 나가 행복 입자를 구해오지 않는 한, 인공 오로라 얼음을 만드는 건 절대 불가능이었다.

"곧 우주-항공 부서가 신설될 거야. 예산 대부분을 그쪽으로 넘겨야 해서 다음 달부터는 지원이 절반 이하로 줄어들 거니까, 그렇게 알아."

이사장은 부낭을 향해 서류철을 던졌다. 딱딱한 플라스틱 덩어리는 그를 조롱하듯 책상 위를 미끄러지며 빙빙 돌았다.

"그러니까 잘하지 그랬어, 어? 여태 뭐 했냐고, 대체."

부낭은 한마디도 할 수 없었다. 그는 배신감 가득한 눈으로 돌아서는 팀원들을 한 명도 잡지 못한 채 다만 바라보아야만 했다.

얼마 지나지 않아 오로라 연구소에는 연구소장 부낭만 남게 되었다. 소장이라는 직함을 달고 있지만, 그 역시 다음 달이면 우주-항공 부서장에게 넘겨줄 예정이었다.

"아직도 출근이란 걸 하시네요?"

인공지능을 탑재한 기계 몸의 수위는 이제 그를 보며 그렇게 인사했다.

그래도 부낭은 연구소로 출근했다. 남은 출근 일수가 보름도 채 남지 않았음에도 매일같이 자리를 지켰다. 텅 비어 버린 건물을 마지막까지 지킬 수 있던 이유는 단 하나. H^a 원소를 만들 수 있다는 믿음 때문이었다. 그는 자신의 믿음마저 져버릴 수 없었다. 할 수 있는 일이 아무것도 없더라도 아무것도 하지 않고 있을 수는 없는 노릇이었다.

부낭은 소독을 마친 가운을 걸치고서 수소와 산소가 원자가 든 통 앞에 앉았다. 창밖으로는 이미 검붉은 노을이 차오르고 있었다. 오늘까지 하면 이미 여든아홉 번째 실패였다. 그는 한숨을 내쉬며 의자 등받이에 몸을 기댔다. 굳은 믿음으로 이어가고 있는 실험이었지만, 심란하지 않은 건 아니었다.

주머니에서 휴대폰을 꺼내 들었다. 원칙적으로는 실험실 구역에서 휴대폰을 사용하면 안 되었지만, 그는 이제 더 이상 그런 규칙들을 신경 쓰지 않았다. 카메라에 찍혀도 그만이었다. 사무실 한쪽에 설치된 감시 카메라도 더 이상 위협이 되지는 못했다.

그때 전화벨이 울렸다. 그는 번호를 확인하고는 활짝 미소 지었다. 화면에 뜬 건 누나의 휴대폰 번호였지만, 부낭은 전화를 건 이가 누나가 아니라는 걸 알았다. 전화는 곧 영상통화로 전환되었다. 영상통화가 시작되자마자 차가 지나가는 시끄러운 소음과 함께 아스팔트 바닥을 경쾌하게 내리밟는 발소리가 들렸다. 화면은 뜀박질 소리와 함께 어지럽게 뒤집혔다. 한참 동안 뛰어다니던 상대방은 드디어 전화가 연결되었다는 사실을 깨달았는지 전화기를 얼굴 앞으로 들어 올렸다.

화면에 비친 부낭을 보자마자 상대는 자지러지게 웃었다. 작은 화면을 가득 채운 얼굴은 순식간에 그의 세상을 환하게 밝혔다. 부낭은 잠시 눈을 감고서 그 웃음소리에 잠겨 들었다. 그의 얼굴에 미소가 피어올랐다.

"상쥰!"

부낭은 눈을 떴다. 말랑한 볼이 화면 가까이 다가왔다. 그는 피식 웃으며 원자가 담긴 유리통 당겨 휴대폰을 받쳐 놓았다.

"어, 그래. 집에 가는 길이야?"

부낭이 다정한 목소리로 물었다. 화면 너머의 아이가 힘차게 끄덕였다. 화면도 그에 맞춰 위아래로 움직였다. 아이는 뭐가 그리 재밌는지 또 한 번 웃음을 터트렸고, 부낭은 그와 함께 웃었다. 조카에게서 걸려 온 영상통화는 요즘 그의 삶을 지탱하는 유일한 낙이었다.

"삼촌 보여줘야지. 그거 어디다 뒀어? 어? 뭐라고? 낭아, 잠
깐만."

아이의 뒤에서 누나의 다급한 목소리가 들렸다. 부스럭거리
는 소리와 함께 그는 조카의 가방 속으로 빨려 들어갔다. 가방
안을 돌아다니던 그는 종이와 함께 겨우 그곳을 빠져나왔다.

"이고!"

조카는 종이 하나를 높게 든 채 외쳤다. 귀를 찌를 듯이 날카
로운 고음. 한껏 눌리고 뭉그러진 발음. 그가 하나도 좋아하지
않는 것들이었다. 하지만 언제부터인가 그는 자신이 좋아하는
것들과 싫어하는 것들이 무엇이었는지를 잊어버렸다. 이제 막
어깨선에 다다른 배냇머리를 찰랑이는 아이. 그 앞에 설 때면
그는 매번 새로운 사람이 되어 있었다.

"상쪈, 이고! 이고!"

작은 아이가 다시금 외쳤다. 얼굴보다 두 배는 큰 종이를 자그
마한 손으로 꼭 쥐고서 카메라에 내보였다.

"이게 뭐야?"
"까두!"

아이는 접혀 있던 종이를 양옆으로 활짝 열었다. 그 안에 숨겨
져 있던 그림과 글이 한꺼번에 펼쳐졌다. 너무 멀리 떨어져 있

어 한 문장으로 인식하기도 어려운 글자들. 아지랑이 같은 선들은 이렇게 말하고 있었다.

'생 일 추 카 해 상 쫀'

종이의 한쪽 귀퉁이에는 허리가 이상하리만치 긴, 뼈대만 남은 사람도 하나 서 있었다. 머리가 산발로 흩어져 있는 그림 속 사람은 아침마다 마주하는 거울 속 자신과 똑같았다.

"가족한테 줄 카드를 만드는 수업이었대. 근데 이걸 만들어 온 거 있지? 참 나. 생에 처음으로 만든 카드인데 그걸 외삼촌한테 썼단다."

누나는 기가 찬다는 목소리로 덧붙였다.

"아니 부모 둘 다 멀쩡히 살아있는데 왜 외삼촌 걸 만들어왔는지 모르겠어. 누가 보면 외삼촌이랑 같이 사는 줄 알겠네, 정말. 서운하다 진짜."

평소 같으면 부낭은 누나의 말에 웃음을 터트렸을 것이다. 하지만 그날따라 부낭은 웃을 수 없었다. 심장 깊은 곳에서 시작된 옅은 떨림은 삽시간에 강한 진동으로 퍼져나갔다. 그는 간신히 고맙다는 말을 건네고 급하게 전화를 끊었다. 통화를 더 했다가는 분명 못 볼 꼴을 보여줄 것만 같아서였다.

몇십 년 만에 받아 본 손 편지. 그 카드가 전한 건 단순한 생일 축하가 아니었다. 잔뜩 흩어진 글자 속에서 그는 잊고 있던 사실을 보았다.

텅 빈 건물에서 조금씩 마모되고 있던 그였다. 침묵 속에 전해지던 상부의 비웃음에 자신마저도 조금씩 동조해 가던 중이었다. 어쩌면 자신은 처음부터 연구소장을 하기에는 자격 미달인 사람이었는지도 모르겠다고. 다른 사람이 맡았다면 결과는 달랐을지도 모른다고. 그렇게 은연중에 자신을 놓아 버리고 있었다.

하지만 뭉그러진 발음과 흩어진 글자들은 그를 붙들었다. 조카의 편지는 희미해져만 가던 그의 가치에 짙은 윤곽선을 그려 주었다. 그는 자격 미달인 소장일지언정, 자격 미달인 사람은 아니었다. 그는 함께 살지도 않는 조카에게 첫 카드를 받을 수 있는 사람이었다. 누군가에게 여전히 사랑받고 사랑을 줄 수 있는 사람이었다. 그는 누구보다 특별한 존재는 아니었지만, 누군가에게는 특별한 존재였다.

그는 분명 가치 있는 사람이었다.

그날은 오로라 제작소에 길이 남을 순간이 되었다. 초대 연구소장은 조카의 카드를 보는 순간, 실로 오랜만에 턱 끝까지 차오르는 뭉근하고 진한 감정을 느꼈고. 그 가슴 따뜻한 행복은 유리통에 담긴 원자들을 술렁이게 했다.

비유적인 표현이 아니었다. 부낭이 조카의 편지에 감동 받아 벅차오르던 순간부터 통 속의 산소와 수소 원자들은 빠르게 운동하기 시작했다. 원인은 SEND 파동이었다. 행복이나 기쁨, 감동과 같은 긍정적인 감정을 느낄 때만 만들어지는 뇌파인 SEND 파동. 평소에는 잘 감지되지도 않는 미약한 생체 파동은 그날따라 이상하게 원자들을 움직이게 했다.

그날의 모든 조건이 완벽하게 맞아떨어졌기에 가능한 일이었다. 초대 연구소장은 강력한 감정 에너지를 생성하며 온몸으로 전율했고, 수소와 산소 원자가 담긴 통은 그의 숨결이 닿을 정도로 아주 가까이에 있었다. 연구소장의 감정 에너지를 흡수한 원자들은 고장 난 녹음기처럼 SEND 파동을 복제하며 움직이기 시작했고, 규칙적으로 흔들리던 그들의 운동 에너지는 서서히 빛 에너지로 바뀌어 갔다. 은은하게 일렁이던 빛은 곧 새하얀 안개구름을 틔웠고, 그 사이에서 짙은 보라색의 오로라가 피어났다.

첫 인공 오로라, H^a 원소는 그렇게 우연한 계기로 만들어졌다. 과학자들은 처음에 부낭의 연구 발표를 믿지 않았다. 순수한 수소(H)와 산소(O) 원자가 SEND 파동에 노출되는 순간 전혀 다른 H^a 원소가 탄생하다니. 그리고 그걸 차갑게 얼리면 단단한 암석이 된다니. 그들이 알고 있던 모든 과학적 상식을 거스르는 연구 결과였다. 하지만 초대 오로라 연구소장은 그들의 눈앞에서 오로라 얼음 제작 과정을 시연해 보였고, 세상은 그의 말을 믿을 수밖에 없었다. 뇌파 수집기와 증폭기를 깊게 눌러 쓴 연구소장은 그들의 멍한 얼굴을 보며 싱글벙글 웃었다. 동시에 그의 조카도 영상통화 화면 저편에서 함께 싱글벙글 웃고 있었다.

오로라 얼음이 실험실을 나와 공장으로 향하자, 곧 세계 곳곳에는 오로라 제작소가 들어서기 시작했다. 오로라 얼음은 더 이상 신비한 미지의 우주 물질이 아닌, 절차에 맞게 생산되는 규격화된 상품이었다. 오로라 얼음의 공급이 늘어나며 세상은 차차 안정기에 접어들었다. 오로라 얼음에 집착하던 집단 광기는 서서히 수그러들었고, 사람들은 새롭게 제정된 규정량에 따라 오로라 얼음을 사용하기 시작했다. 어디서든 구할 수 있고, 언제든지 사용할 수 있게 된 오로라 얼음은 그렇게 서서히 사람들의 생활 속에 녹아들었다. 오로라 얼음을 찾는 수요는 여전히 많았지만, 그에 파생되는 몇몇 문제들도 항상 있었지만. 모두 예전의 사고들에 비하면 별거 아닌 일들이었다.

세상의 소음이 점차 잦아들던 그때, 오로라 연구소는 전에 없던 거센 갈등으로 휘청이고 있었다. SEND 파동 수급 방안을 놓고 이사장과 부낭의 의견이 완전히 엇갈렸기 때문이었다.

당시 오로라 제작소는 수백 명의 사람을 고용해 오로라 얼음을 제작하고 있었다. SEND 파동은 감정에서 비롯된 생체 파동이었고, 지구의 생명체 중 가장 강력한 감정 파동을 지니고 있던 건 사람이었다. 그래서 오로라 제작소는 사람을 기용했다. 두 번 생각할 것도 없는 간단한 문제였다.

하지만 부낭은 사람을 고용하는 걸 적극적으로 반대했다. 사람 대신 SEND 파동 생산기를 설치해야 한다는 게 그의 주장이었다. SEND 파동 생산기란 감정 파동을 균일하게 출력하는 기계로,

사람의 SEND 파동을 복제해 매번 똑같이 재생하는 장치였다.

"매일 행복할 수 있는 사람은 없어요. 감정은 강압적으로 요구한다고 억지로 짜낼 수 있는 노동력이 아닙니다. 결국에는 SEND 파동 생산기가 필요할 겁니다. SEND 파동 생산기는 인간의 완벽한 대체품이 될 수 있어요. 자동화 공정을 도입하면 오로라 얼음의 생산량도 곱절로 늘릴 수 있을 겁니다."

하지만 지속적인 부낭의 만류에도 이사장은 꿈쩍하지 않았다. SEND 파동 생산기 발명을 위해서는 십 년이라는 시간이 더 필요했고, 그마저도 완벽하게 구현될지는 미지수였다. 반대로 사람은 지구 전역에 널려 있었으며, 이미 완벽한 SEND 파동의 원천이 되어 주고 있었다. 그래서 이사장은 SEND 파동 생산기가 있어야 할 자리에 사람을 앉혔다. 사람은 SEND 파동 생산기보다 효율적이진 않았지만 경제적이었다.

"지속적인 오로라 얼음의 대량 생산을 위해서는 SEND 파동 생산기를 개발해야 합니다. 사람의 감정에는 한계가 있어요. 이렇게 계속 가다가는 제작자들이 전부 미쳐 버리고 말 겁니다. 지금이야 초창기니까 괜찮지만, 분명 문제가 발생할 거예요."

"이미 잘 굴러가고 있는 제작소야. 더 욕심내지 마."

"이사장님."

"사람 하나가 미치면 다른 사람으로 바꾸면 되고, 그 사람이 미치면 또 다른 사람으로 바꾸면 돼. 세상에 사람은 많고, 일자리는 점점 줄어들고 있어. 자네가 더 잘 알지 않나. 요새는 기계보다 못한 게 사람이야. 그런 사람을 덥석 써 준다고 하니 다들 얼마나 고맙겠어. 나도 나름 봉사 정신으로 이런 결정을 한 거니까 더는 말을 말게. 자네 말마따나 자동화 공정이 되면 훨씬 편한데, 일부러 손해를 보면서까지 사람을 쓰는 거 아닌가."

"그게 대체 무슨 말입니까!"

부낭이 격분한 목소리로 소리쳤다.

"이게 어떻게 사람을 위한 결정입니까! 처음부터 철저하게 경제적으로 접근했으면서. 그런 위선적인 소리는 그만둬요!"

"글쎄. 이걸 듣고도 자네가 위선적인 소리라고 할 수 있을까?"

이사장은 서류 하나를 내밀었다. 플라스틱 서류철에는 '상상학교'라는 글자가 적혀 있었다.

"SEND 파동 말이야. 사람에 따라서 기복이 좀 있다고 하더만. 유독 강한 SEND 파동을 생산하는 사람은 따로 있다고 들었네. 그래서 우리는 그런 아이들을 모을 예정이야. 전 인류의 0.01%밖에 안 되는 특별한 아이들. 그들만을 모아두고 철저히 교육시키는 거지. 졸업과 동시에 보수를 어마어마하게 주면서 오로라 제작소에 고용도 하고, 그들 가족이 전부 힘들이지 않고 먹고살 수 있을 만큼 보수도 줄 걸세. 인류와 공생하기 위한 사회 환원이랄까. 우리 입장에서는 절대 남는 장사는 아니야. 어쩌면 우리가 손해를 보는 걸 수도 있지. 하지만 더 많은 사람을 먹여 살리기 위한 거니까 기꺼이 하기로 결정했네. 어때, 이래도 내가 위선자인가?"

이사장은 의자 등받이에 몸을 기대어 앉으며 턱을 쓸어내렸다. 하지만 서류를 살피는 부낭의 얼굴은 아까보다 더 붉어져 있었다.

"0.01%도 안 되는 특별한 아이들이요? 특별한 노예들이 아니고요?"

"노예라니, 무슨 소릴!"

"이사장님, 전 인류의 0.01%가 몇 명이나 알기나 하십니까?"

"70만 아닌가. 뭘 그런 걸 묻고 그러나."

"오로라 제작소에 필요한 인력은 몇 명인 줄 아세요?"

이사장은 답이 없었다.

"사백육십 명. 우리는 매해에 많아야 오백 명 정도를 더 고용할 수 있어요. 앞으로 제작소가 안정되면 될수록 추가 고용 인원은 점점 더 줄어들 테죠. 만약 서류에 적힌 대로 한 해에 천 명의 인원이 졸업하게 된다면, 절반이 넘는 학생들은 고용되지 못할 겁니다. 그럼 그 잉여 인력은 대체 어쩌시려고요? 갑자기 없는 일자리를 창출해서 나머지 전부를 고용하기라도 할 겁니까? 아니면 오로라 직업소개소라도 차려서 일자리 알

선이라도 해 주시게요?”

이사장은 여전히 말이 없었다.

“절 바보로 보시는 겁니까!”
“자네는 몰라도 되네.”
“뭘 몰라도 됩니까! 무슨 생각을 하시는지 단번에 읽히는데!”
“신경 쓰지 마. 자네가 관여할 일이 아니네. 이건 과학이 아닌 돈의 영역이야.”
“이사장님!”

부낭은 자리를 박차고 일어났다. 익숙한 한 아이의 얼굴이 눈앞에서 어른거렸다. 이제 막 초등학교를 졸업하고 중학교에 올라갈 준비를 하는 중인 그의 조카. 앞날이 막막하고 세상이 싫다고 투덜대면서도, 여전히 비가 오는 날에는 실수로라도 지렁이를 밟지 않으려고 땅만 보고 걷는 아이. 이사장은 그런 아이들에 대해 말하고 있었다.

“전 반대합니다. 무조건 반대입니다.”

부낭은 단호하게 말했다.

“그래? 그럼 돈은 어떻게 할 텐가?”

갑작스러운 이사장의 질문에 부낭은 말문이 막혔다.

“연구소에만 틀어박혀 있어서 모르나 본데, 돈도 사람하고 똑같아. 가꾸고 보살피고 염려하지 않으면 금세 스러지고 말지. 그러니 사람처럼 매번 신경을 쓰며 걱정해 줘야 해. 자네, 연구소 소장이라는 직함, 참 좋지? 멋지고. 근데 자네가 왜 아직까지 그 감투를 머리에 인 채로 조카와 희희낙락할 수 있는 줄 아나? 바로 돈이라는 기반이 있기 때문이야."

이사장은 천천히 자리에서 일어났다. 풍채 좋은 노인은 부낭을 위에서 내려다보았다.

"계속해서 사람을 쓰면 우리는 지금처럼 돈더미 위에 있을 걸세. 하지만 SEND 파동 복제기인지 뭔지를 만든다고 하면서 시간을 질질 끌며 자금을 낭비해 버리면, 분명 문제가 생기게 될 거야. 똑똑한 네 녀석의 공개 발표 덕에 이제 세상은 오로라 얼음을 어떻게 만들어야 하는지 모조리 알게 되었어. 치가 떨릴 정도로 세세하게 알고 있지. 누군가 안다는 건 쉽게 따라할 수 있다는 걸 의미하기도 해. 세상에는 너보다 똑똑한 사람이 많아. 나보다 부유한 사람도 많지. 우리가 그들보다 위에 서 있는 이유는 하나야. 한발 앞서 있는 시간. 그 시간이 있기 때문이지. 하지만 그 시간은 언제든 뒤집힐 수 있어."

그는 부낭이 있는 쪽으로 서서히 몸을 기울였다.

"난 다만 그 불안정한 간극을 넓히고 싶은 것뿐이야. 경쟁자들이 감히 넘볼 수 없는 독보적인 선두. 돈과 시간에 구애받지 않는 선두의 자리가 우리 차지였으면 해. 그걸 위해서 지금은 기계가 아닌 사람이 필요하지. 영원토록 사람을 이용하자는 게 아니야. 그 선두에 올라설 때까지만 잠시 이용하자는 거지. 부낭 박사의 연구는 내 언젠가 지원을 해 줌세. 내 이름을 걸고 약속하지. 단, 그때까지는 사람이 필요해. 내 입장도 헤아려 주시게나.”

이사장실에는 잠시 적막이 감돌았다. 부낭은 입을 굳게 다문 채 '상상학교'가 적힌 서류철만을 노려보았다.

“오로라 제작자들은 분명 심각한 후유증에 시달릴 겁니다. 희생자가 늘어나기 전에, 꼭 약속을 지키셔야 합니다.”

부낭은 천천히 말을 내뱉었다. 이사장은 알겠다는 얼굴로 고개를 끄덕였다.

“내가 약속을 어기는 거 봤나?”

부낭은 이사장의 말이 채 끝나기도 전에 홱 돌아섰다. 그의 등 뒤로 문이 거칠게 닫혔다. 닫힌 문을 물끄러미 응시하던 이사장은 책상 위에 펼쳐진 서류철을 집어 들었다.

전 세계의 상위 0.01%에 속하는 특별한 아이. 아이의 재능이 마음껏 빛날 수 있게 해 주세요.

종이의 첫머리에 적힌 문구를 보며, 그는 만족스럽게 미소 지었다.

꿈 몸살

작업실 구역 입구에 걸린 초대 연구소장 부낭의 사진. 나이 지긋한 남자의 자애로운 미소를 위에서부터 찬찬히 훑어보던 피페는 쫏하고 혀를 찼다. 인공지능이 생성한 사진에는 부낭의 진짜 모습이 한 톨도 담겨 있지 않았다.

아무리 세계적인 위인이라고 하지만. 이건 완전히 재창조한 수준이잖아.

피페는 툴툴대며 옷 소매 안으로 말려 올라간 팔찌를 잡아당겼다. 언제나처럼 투명한 팔찌가 팔을 타고 흘러 내려와 손목 근처에서 달랑거렸다. 오로라 제작자들에게만 주어지는 특수한 팔찌. 그건 피페의 가치를 증명하는 지문 같은 물건이었다.

피페는 세상에 몇 안 되는 오로라 제작자였다. '행복 제작자'

라 불리는 오로라 제작자는 직업만으로도 존재의 가치를 인정받는 특수한 사람이었다.

오로라 제작자의 시작을 알린 건 부낭 박사의 연설이었다. 사람을 완벽하게 대체할 기계가 우후죽순으로 발명되던 시절, 그는 새로운 개념을 선보였다.

"SEND 파동. 오직 인간만이 만들어낼 수 있는 감정 에너지. 오로라 얼음은 오직 사람만이 만들어낼 수 있습니다."

인간의 전유물이 하나둘씩 사라지던 시절, 그의 말은 엄청난 파장을 일으켰다. 여전히 인간만이 누릴 수 있는 영역이 있다는 사실은 사람들의 마음을 울렸다. SEND 파동으로 노동을 할 수 있는 사람은 특수한 몇몇뿐이었지만, 그럼에도 사람들은 인간을 위한 성역이 존재한다는 사실에 안도했다.

그때쯤 상상학교가 건립되었다. 당연히 누구나 학교에 입학할 수 있는 건 아니었다. 선천적으로 SEND 파동이 강한 아이들. 긍정적인 감정을 누구보다도 잘 느끼고 표현하며, 상상할 수 있는 아이들. 상상학교는 오직 그런 아이들만 입학할 수 있었다. 그래서 수많은 아이들의 부모가 초등학교 입학도 하기 전에 상상학교로 입학 신청서를 보냈지만, 그중 선택된 소수만 학교의 초대장을 받게 되었다.

자제분은 전 세계의 상위 0.01%에 속하는 특별한 아이입니다. 아이의 재능이 마음껏 빛날 수 있게 해 주세요.

피페는 그렇게 선정된 소수였다. 그녀는 아직도 입학 통지서 상단에 있던 문장을 잊지 못한다. 당시 다니던 초등학교 학생의 대부분이 상상학교에 입학 신청서를 보냈지만, 입학이 허가된 건 그녀가 유일했다. 입학 통지서는 그녀가 4학년에 올라간 첫날 도착했고, 그녀는 순식간에 학교에서 가장 특별한 사람이 되었다. '감정 영재 프로젝트'라는 슬로건을 앞세운 상상학교는 입학과 동시에 취업을 보장했다. 직장은커녕 직업을 구하기조차 하늘의 별 따기 같던 시절, 자녀를 상상학교에 보내는 건 모든 부모의 꿈이었다. 교내의 모두가 그녀를 알았고, 모든 부모가 그녀와 그녀의 가족을 부러워했다. 피페는 남은 3년의 학교 시절을 학교의 슈퍼스타로 살았다.

상상학교에서 입학한 후에는 전문적으로 꿈을 꾸는 법을 배웠다. 예비 오로라 제작자들은 선천적인 SEND 파동 수치만 높을 뿐, 꿈을 통해 파동을 일정하게 생산하는 방법을 알지 못했다. 그래서 학교는 그들에게 꿈을 꾸는 모든 기술적인 부분을 가르쳤다. 상상력을 최대한으로 끌어올리는 방법과 상상을 이어 붙여 꿈을 생성하는 방법, 의식적으로 꿈을 시각화하는 방법과 꿈에서 감각을 유지하는 방법, 그리고 그렇게 형성한 꿈을 SEND 파동으로 변환하는 방법을 알려 주었다. 1년에 한 번 있는 시험에서는 상상을 통해 생산되는 SEND 파동 수치를 측정했는데, 피페는 그때마다 우수한 성적을 받았다. 이대로라면 그녀는 별문제 없이 오로라 제작자가 될 수 있었다.

상상학교에 다니는 동안에도 그녀는 대내외적으로 부러움을 한 몸에 받았다. 교내 사람들은 미래가 창창한 우수 학생인 그녀를 부러워했고, 학교 밖 사람들은 예비 오로라 제작자인 그녀를 선망의 눈으로 바라보았다. 안정적인 미래가 보장된 어린 학생은 어딜 가나 극진한 대접을 받았다. 피페는 성인이 될 때까지 그런 삶을 살았다. 그녀는 학교를 졸업하는 순간까지도 굳게 믿었다. 앞으로의 날들도 지금과 같을 거라고. 평생토록 밝고 찬란하게 반짝일 수 있을 거라고.

그랬지. 그땐 이 사진이 진실이라 믿었지.

피페는 부낭의 사진을 흘긋 올려다보았다. 그녀는 진짜 부낭 박사의 모습을 본 적이 있었다. 오로라 제작소에 입사한 첫날의 일이었다. 그때는 아직 부낭 박사가 살아있던 시절이었다.

오로라 제작소가 처음이었던 그녀는 작업실 복도를 찾지 못해 길을 헤맸고, 이리저리 돌아다니던 그녀는 한 노인을 만났다. 그는 머리가 하얗게 세다 못해 듬성듬성 벗겨져 있었고, 손은 바들바들 떨었으며, 온 얼굴에는 검버섯이 피어 있었다. 길을 물으려고 그에게 다가갔던 피페는 얼떨결에 그를 부축하며 같이 걷게 되었다.

"학생, 견학 온 건가?"

우물우물한 발음으로 그가 물었다. 뭉개지는 발음을 제대로 이해하지 못한 피페는 몇 번이나 되물은 후에야 겨우 그의 질문을 알아들었다.

"아, 아니요. 오늘이 첫 출근이어서요."

"오, 그래. 오로라 제작자가 되려고 하는 거군."

"네. 맞아요."

그는 파르르 떨리는 손길로 코끝에 걸린 안경을 쓸어 올렸다. 고개를 들어 그녀를 자세히 뜯어보았다.

"자네, 오로라 제작자를 평생 할 각오가 되어 있는 겐가?"

"예?"

피페가 되물었다.

"오로라 제작자. 그렇게 호락호락한 일이 아니야. 특별하다는 수식어로 포장한 냄새 나는 썩은 우물이지. 한 번 빠지면 쉽게 나갈 수 없지만, 그렇다고 도움을 구하지도 못해. 우물 주인이 처음부터 그러지 못하도록 설계해 놨거든."

그는 피페의 팔을 꽉 움켜쥐었다. 근육이 아릴 정도로 강한 힘이었다.

"그러니 말해 보게. 정말 저 문턱을 넘을 용기가 있는가?"

노인은 가느다란 손가락으로 저만치 보이는 작업실 구역을 가리켰다.

피페는 망설임 없이 고개를 끄덕였다.

"어릴 적 부모님께서 종종 그렇게 말씀하셨어요. 눈앞에 다가온 기회는 함부로 버리는 게 아니라고. 전 선택받은 아이예요. 제가 가진 특별함이 함부로 사그라들게 두지 않을 거예요."

노인은 피페를 물끄러미 쳐다보다 입을 열었다.

"그래. 아무렴 어때."

그는 아련하게 웃으며 안경을 벗었다. 안경을 접으며 앞주머니에 찔러 넣는 노인의 미소가 어딘가 슬퍼 보였다.

"아가야. 네게 주어진 기회, 꼭 잃지 말고 잘 쓰길 바란다."

그는 피페의 팔을 잡고 있던 손을 놓았다. 벽을 짚으며 몇 걸음 나아가다, 문득 뒤를 돌아보았다.

"단어에는 여러 뜻이 있지. 사전에 없는 뜻일지라도 누군가에겐 의미가 되기도 해."

그는 무언가를 더 말하려다 말고는 고개를 저었다.

"작업실은 저쪽이란다. 잘 가거라. 나중에 기회가 있으면 또 보자."

그는 후들거리는 다리를 위태롭게 내디디며 천천히 그녀에게서 멀어져 갔다.

그가 부낭 박사라는 사실을 알게 된 건, 한참 뒤에 있었던 그와의 두 번째 만남에서였다. 두 번의 만남 동안 피페는 한 가지 사실을 알게 되었다. 부낭은 한 번도 사진 속 모습과 같았던 적이 없었다. 노인이 된 그의 모습은 초라하고 구차했다. 작업실 구역 입구에 걸린 남자의 당당한 태도와 자애로운 미소는 완벽한 거짓이었다.

···

팔찌를 인식 패드에 갖다 대자 작업실 복도로 향하는 문이 열렸다. 터벅터벅 복도를 걷던 그녀의 앞으로 도우미 로봇 하나가 방방 뛰며 다가왔다. 고무 재질로 만들어진 그는 이리저리 통통 튀어 다니며 출근하는 오로라 제작자들을 반겼다.

"오로라 얼음 필요하세요?"

눈사람처럼 생긴 그는 해맑은 얼굴로 두 팔을 팔랑팔랑 흔들며 제자리에서 빙글 돌았다. 양팔에 매달린 라탄 바구니가 좌우로 흔들렸다. 바구니 안에는 작은 박하사탕처럼 생긴 오로라 얼음들이 한가득 담겨 있었다. 하얀색 빛을 내는 반투명한 알갱이들은 바구니가 움직일 때마다 녹색과 보라색, 붉은색으로 은은하게 일렁였다.

오로라 얼음은 오로라 제작자들에게 커피 같은 존재였다. 일을 시작하기 전 반드시 필수적으로 복용해야 하는, 식품이라기보다는 약이었다. 그러나 모든 오로라 제작자가 오로라 얼음을 섭취할 수 있는 건 아니었다. 오로라 얼음은 커피보다 훨씬 위험했기에, 오직 '관리자'에 승인받은 오로라 제작자들에게만 오로라 얼음이 허용되었다.

일반적으로 오로라 얼음은 아로마 향초처럼 공기를 통해 조금씩만 흡수하도록 권장되었다. 그마저도 일정 용량만 사용할 수 있도록 규정되어 있었으며, 절대 삼키거나 먹어서는 안 된다고 알려져 있었다. 일정 수준 이상의 오로라가 한꺼번에 체내로 들어오면, 발작이나 실신과 같은 치명적인 증세를 일으킬 수도 있었기 때문이다.

하지만 오로라 제작자들은 여러 부작용에도 오로라 얼음을 포기할 수 없었다. 우수한 품질의 오로라 얼음을 제작하기 위해서는 꿈을 통해 강한 SEND 파동을 만들어야 했는데, 그러기 위해서는 반드시 오로라 얼음이 필요했다. 오직 오로라 얼음만이 세상에서 가장 선명한 행복의 꿈을 보여줄 수 있었기 때문이다. 어떠한 방법도 오로라 얼음 한 조각을 입에 물고 꾸는 꿈보다 강력하지는 못했고, 강력한 SEND 파동을 만들어낼 수 없었다. 그래서 오로라 제작자들은 오로라 얼음을 함부로 포기할 수 없었다. 그들은 아침마다 손에 쥐는 커피 한 잔처럼, 매일 로봇이 들고 다니는 바구니에서 오로라 얼음을 한 움큼 집어 주머니에 쑤셔 넣었다. 오로라 얼음을 만들기 위해 오로라 얼음이 필요하다니. 상당히 모순적인 현상이었지만, 그 사실에 깊은 의문을 품는 제작자는 없었다.

"오로라 얼음 없이 오로라 얼음을 만들 방법은 없나요?"

피페는 새내기 시절, 패기 좋게 이런 질문을 던진 적이 있었다. 신입 제작자들을 위한 간담회이자, 몇천 명의 오로라 제작소 임직원 앞에서 신입 제작자들을 소개하는 시간이었다. 그날 간담회에 앉아 있던 제작자 전원은 피페의 질문을 듣자마자 일제히 폭소했다.

"그래. 그럴 수 있으면 그렇게 해 보렴."

저만치 앉아 있던 한 오로라 제작자가 그렇게 답했고, 그의 말에 간신히 웃음을 참고 있던 이들마저 소리 내어 웃기 시작했다.

그로부터 십 년이 흘렀고. 이제 피페는 자신이 얼마나 어리석었는지를 안다.

오로라 제작자들은 상상 근육을 통해 SEND 파동을 생성했다. 상상 근육은 전두엽 피질과 편도체를 아울러 지칭하는 말로, 실제로는 근육이 아닌 신경 군집이었으며, 그중 일부는 호르몬을 관장했다. 진짜 근육이 아니었기에, 상상 근육은 쓰면 쓸수록 약해졌다. 상상 근육의 약화는 감정의 둔화로 이어졌다. 한 해씩 먹어 가는 나이도 업무 효율 저하에 한몫을 거들었다. 삶의 경험을 반복해 온 이들은 그렇지 않은 이들보다 감정의 파고가 적었다. 같은 연애를 상상해도 전처럼 심장이 떨리지 않았으며, 결혼과 탄생 같은 축복할 만한 사건들 앞에서도 덤덤해졌다.

그들의 지닌 긍정적인 감정의 총량, SEND 파동의 생산력이 줄어들어서 그런 건 아니었다. 문제는 삶의 경험이 늘어간다는 데에 있었다. 삶의 시간이 늘어감에 따라, 그들은 '행복'이라는 정의의 이면을 발견하게 되었다. 결혼식에서는 웃음 짓는 주인 공보다 눈물이 그렁한 하객들이 눈에 들어왔고, 돌잔치에서는 방긋 웃는 아기보다 그 뒤에서 땀을 뻘뻘 흘리며 서 있는 부모에게 공감했으며, 시상식에서는 트로피를 받은 우승자보다 그렇지 못한 이들에게 시선이 머물렀다. 한 해씩 나이를 먹어 가며 그들은 자신이 당연하게 빚어냈던 행복한 꿈의 이면을 보게 되었고, 그 순간 그들은 더 이상 예전처럼 행복할 수 없었다.

오로라 얼음이 필요한 건 이런 이유에서였다. 오로라의 꿈은 제작자들이 평생 바래 왔는지도 모르게 바라던 일들을 경험하게 했다. 제작자들의 무의식으로 파고들어 그들이 가장 원하는 형태의 행복을 마치 실제처럼 보여주었다. 오로라의 꿈을 꾼 제작자는 더 이상 진정한 행복을 고민하지 않았다. 모호했던 행복의 의미는 성공과 승리의 꿈을 통해 명확하게 정리되었고, 그들은 이제 꿈에서 한눈을 팔지 않았다. 오로라의 꿈을 경험한 제작자들은 곧 예전처럼 SEND 파동을 만들어낼 수 있게 되었다.

오로라 얼음은 훌륭한 각성제이자, 업무 효율을 높이는 보조제였다. 그래서 오로라 제작소는 제작자들에게 오로라 얼음을 배급했다. 오로라 얼음이 오로라 제작자에게 얼마나 치명적이라는 사실을 알고 있었음에도 오로라 얼음을 장려했다. 오로라 얼음에 대한 친근감을 높이고자 작은 사탕처럼 포장해 동그란 로봇의 팔에 실어 보냈다.

"필요한 만큼 충분히 가져가세요!"

도우미 로봇의 상냥한 목소리에 피페는 퍼뜩 정신이 들었다.

"아니야. 괜찮아. 오늘은 상담하러 왔어."

피페는 복도 입구에 있는 상담실 문을 가리키며 말했다. 물어 봐 줘서 고맙다는 말을 덧붙였다. 도우미 로봇은 왔던 걸음 그 대로 살랑이며 저만치로 사라졌다. 그 모습을 물끄러미 바라보 던 피페는 그의 반대편을 향해 걸었다. 상담실 앞에 선 그녀는 문 옆에 걸린 작은 화면을 두드렸다. 화면에 불이 들어왔다. 그 녀는 안쪽에 있는 사람이 답을 할 때까지 잠자코 기다렸다. 패 드의 색깔이 바뀌었다. 방 안에 있는 사람과 그녀만이 알고 있 는 비밀번호를 눌렀다. 로딩 화면이 뜨며 그녀가 입력한 비밀번 호가 맞는지를 확인하기 시작했다.

로딩 화면을 멍하니 지켜보던 피페의 시선이 문득 패드 위에 놓인 손으로 옮겨 갔다. 서른 초중반이라고 하기에는 믿기 어려 운, 주름살이 깊게 팬 손등. 물을 잔뜩 먹은 것 같은 쭈글쭈글한 손은 어제보다 한층 더 늙어 보였다.

이상하네. 요 며칠 오로라 얼음도 끊었었는데.

그녀는 손등을 만지작거렸다. 반대쪽 손에는 옅은 검버섯이 피어오르고 있었다. 씁쓸한 얼굴로 손등을 쓸자, 손가락 모양대로 눌린 자국이 생겼다. 한 번 밀린 피부는 쉽사리 되돌아올 줄을 몰랐고, 그런 모습이 보기 괴로웠던 피페는 습관처럼 혀를 차며 손을 주머니에 찔러 넣어 버렸다.

노화는 오로라 얼음의 과도한 복용이 초래하는 부작용 중 하나였다. 오로라 제작자들은 일을 시작한 지 두 해를 넘기기도 전에 급격하게 늙어갔다. 오로라 얼음은 그들의 몸에 짙은 주름과 검버섯, 흰머리를 만들어냈다. 일부 제작자들은 머리가 빠지고 치아를 잃는 수모를 경험하기도 했다. 지팡이가 없으면 걷지 못하는 제작자들도 있었다. 오로라 제작소는 그들의 노화가 빠르게 진행되지 않도록 의료 지원을 아끼지 않았지만, 오로라 얼음을 매일같이 복용해야 하는 그들에게 임시방편적인 치료는 그리 효과적이지 못했다. 근본적인 원인이 없어지지 않는 이상, 약과 시술과 수술을 반복하는 건 밑 빠진 독에 물을 붓는 격이었다.

피페도 당연히 오로라 얼음의 부작용을 피하지 못했고, 그녀는 서른 중반도 되기 전에 노파의 모습으로 변했다. 피부는 재생 능력을 잃은 지 오래였고, 무릎은 자주 시렸으며, 한쪽 어금니는 가장 여린 고기에도 쉽게 시큰거렸다.

아니야. 상담 전에 이런 생각을 해서는 안 돼.

피페는 심란한 마음을 추슬렀다. 관리자와의 상담 전에는 평정심 유지가 필수적이었다. 오늘은 더군다나 일상적인 정기 상담일도 아니었다. 휴가를 강제로 처방받고 일주일 만에 다시 돌아온 오로라 제작소였다. 어쩌면 오늘은 그녀의 앞날을 좌우할 중요한 시간이 될지도 몰랐다.

피페는 다급한 손길로 가방을 열어 매끈한 향수병을 꺼내 들어 온몸에 분사했다. 머리가 향수에 젖어 촉촉해질 때까지, 향수를 뿌리고 또 뿌렸다. 무화과와 수선화 그리고 회양목을 섞어 만든 시원하고 달콤한 향이 온몸을 휘감았다. 오직 그녀만을 위해 만들어졌던 향수. 몇 달 전까지만 해도 오로지 그녀만 사용할 수 있던 세상에서 가장 유일하고도 특별한 향이었다. 하지만 그토록 대단했던 향도 이제는 별다른 위안이 되지 못했다. 피페는 여전히 불안이 밀려올 때면 습관처럼 향수를 온몸에 흩뿌렸지만, 한때 그녀를 진정시키던 향은 이제 코를 찌르는 탁한 공기로 변해 있었다.

이건 뭐 갖다 버릴 수도 없고.

콧구멍을 쑤시고 들어오는 강한 향에 피페는 인상을 찌푸렸다. 그녀는 또 한 번 향수를 절대 뿌리지 않겠다고 다짐하며 가방에 향수병을 세차게 던져 넣었다. 하지만 그건 금세 잊힐 다짐이었다. 몇 년간 굳어진 습관을 하루아침에 바꾸기란 쉽지 않은 일이었다.

...

"왔어요."

부아는 고개도 들지 않은 채 인사했다. 피페는 늘 자신만의 특유의 공기와 함께 밀려왔고, 부아는 공기로 피페를 알아보았다. 곧 부아의 재채기 소리가 상담실 안을 채웠다. 피페의 향수 냄새는 언제나 부아의 재채기가 되었다.

"좀 어때요."

휴지로 코를 문지르며 부아가 물었다. 하지만 그녀는 곧 괜한 질문을 했다는 걸 깨달았다. 피페의 눈은 일주일 전과 하나도 달라지지 않았다.

부아는 피페의 관리자였다. 관리자는 오로라 제작자의 건강과 관련된 모든 사항을 관리했다. 뇌파가 원활하게 작동하기 위해서는 제작자의 건강이 무엇보다 중요했고, 관리자는 길면 일주일에 한 번, 짧으면 사나흘에 한 번씩 관리자와 '상담'을 하며 그들의 몸과 마음이 제대로 작동하고 있는지를 확인했다.

오로라 제작소 초창기 시절, 관리자의 일은 인공지능의 몫이었다. 하지만 뉴스에 보도될 정도로 심각한 사고가 몇 번 있고 난 후, 관리자의 자리에는 사람이 들어왔다. 차가운 철과 플라스틱으로 만든 기계들은 사람을 정밀하게 기록할 수는 있었지만, 마음 깊은 곳까지 헤아리며 소통하지 못했다. 그들은 사람과 같았을 뿐, 사람이 될 수는 없었다. 기계적인 그들의 말들은 신체와 정신이 유약해졌던 몇몇 오로라 제작자에게 비수가 되어 꽂혔고, 뉴스에 날 정도로 큰 사건을 만들었다.

그런 일들이 있고 난 후부터 오로라 제작소는 사람을 고용했다. 관리자로 채용된 사람은 인공지능과 제작자 사이에서 서로의 말을 통역해 주었다. 인공지능이 알아들을 수 있는 말들로 오로라 제작자의 상태를 전했으며, 제작자들에게는 그들의 현재 상태와 문제, 그리고 치료 방법들을 찬찬히 설명해 주었다. 그들이 이해하지 못했다면 다른 말로 되풀이해 주었고, 받아들이지 못한다면 납득할 수 있을 때까지 다독여 주었다. 사람 관리자들은 인공지능보다 정밀하지 못했지만, 기계보다 더 정교한 방식으로 언어와 마음을 다룰 줄 알았다. 사람 통역가가 투입된 후부터 심각한 사건들은 더 이상 일어나지 않았고, 오로라 제작자들은 마침내 자신들이 사람으로서 대접받는다고 느끼게 되었다.

부아는 이십 년 넘게 오로라 제작소에서 근무하며 인공지능 관리자가 사람 관리자로 대체되는 모습을 지켜보았다. 그녀는 오로라 제작소에 처음으로 채용된 관리자이자 가장 오래 근무한 관리자 중 하나였다. 그녀가 그토록 오래 관리자로 버틸 수 있었던 이유는 하나였다. 그녀는 관리자의 업무가 무엇인지를 정확히 알고 있었다. 관리자는 오로라 제작자를 정말로 관리하는 사람이 아니었다. 그들은 제작자를 다루는 사람이었다. 인공지능이 절대 모방하지 못하는 위로와 공감, 회유와 설득을 통해 제작자를 움직이게 만드는 사람이었다.

부아는 그런 면에서 탁월했다. 그녀는 늘 상황을 정확하게 판단했고, 제작자들이 인지하기도 전에 그들을 설득해 알맞은 방향으로 이끌었다. 덕분에 오로라 제작소 임원들은 그녀를 '가장 사람을 닮은 인공지능'이라고 불렀다. 그 별명은 그녀의 냉철한 판단과 처방에 대한 칭찬이기도 했지만, 동시에 인공지능보다도 교묘하게 설계된 그녀의 말과 행동을 냉소적으로 비꼬는 말이기도 했다. 하지만 부아는 그들의 말에 크게 개의치 않았다. 업무 하나만큼은 완벽하게 해내는 그녀였고, 제작소 임원들은 그런 그녀에게 함부로 할 수 없었다.

"푹 쉬었어요?"

부아의 물음에 피페는 고개를 끄덕이며 맞은편 의자에 앉았다. 오늘은 피페 휴가의 마지막 날이었다. 피페는 며칠 전 오로라 얼음을 제작하다 심한 꿈 몸살을 앓았고, 부아는 곧장 그녀에게 휴가를 처방했다.

꿈 몸살은 '미쳤다'라는 말을 가장 고귀하게 표현한 언어였다. 꿈 몸살은 오로라 얼음을 장기간 복용했을 때, 제작자의 신경계가 망가지며 나타나는 증상이었다. 꿈 몸살은 세 가지 형태로 가시화되었다. 제작한 오로라 얼음의 품질이 현저하게 낮아지거나, 뒤틀린 뇌파로 오로라 제작기를 고장 내거나, 혹은 꿈과 현실을 혼동하며 이상 행동을 보이거나. 후자로 가면 갈수록 꿈 몸살의 증세가 심해진다는 뜻이었고, 그건 곧 오로라 제작자로서의 수명이 끝나가고 있음을 의미했다.

피페는 세 가지 증상 중 두 가지가 동시에 나타나는 경도 몸살을 앓고 있었다. 그녀는 며칠 전 또다시 뒤틀린 SEND 파동을 만들며 오로라 제작기 안에서 기절했고. 비일상적인 뇌파에 교란이 일어난 오로라 제작기 퓨즈는 그 자리에서 터져 버리고 말았다. 오로라 얼음 품질도 당연히 엉망이었다. 그녀가 그날 만든 오로라 얼음은 두 눈을 뜨고 보기 어려울 만큼 처참했다. 하지만 여전히 현실에서 이상 행동을 보이지는 않았기 때문에, 다른 관리자였다면 분명 가벼운 몸살이라 생각해 상담 몇 번이나 진정제 정도를 처방하고 말았을 것이다.

겉보기에도 여전히 너무나도 멀쩡한 그녀였다. 꿈 몸살을 앓는 다른 제작자들처럼 멍하니 딴생각에 잠기지도 않았으며, 묻는 말에 한 번도 허튼소리로 답한 적도 없었고, 현실과 꿈을 혼동하는 이상 증세를 보이지도 않았다. 하지만 부아는 묘하게 달라진 피페의 눈을 알아보았고. 그녀의 증세가 심상치 않음을 단번에 눈치챘다.

"한 30분 쉬면 나아질 거예요. 다시 일할 수 있어요. 일할 수 있으니 집에 가라는 말은 말아요."

꿈 몸살이 오로라 제작기의 퓨즈를 태워버렸던 날, 정신을 되찾은 피페가 한 첫 마디였다. 그저 인사치레로 하는 말이 아니었다. 다른 직장인들이 으레 그런 것처럼, 몸이 좋지 않아 당장 집에 가고 싶지만 보는 눈이 있어 애써 괜찮은 척하는 게 아니었다. 그녀는 정말로 집에 가기를 거부했다. 몸이 정말로 좋지 않음에도, 당장이라도 넘어질 것처럼 휘청이면서도, 그녀는 오로라 제작소에 남기를 고집했다. '아직 일할 수 있으니까 계속 일하겠다'는 변명. 그건 부아가 난생처음 듣는 변명이었다. 아무리 꿈 몸살을 앓는 제작자라도 기절했다 깨어난 후에는 전부 집에 돌아가려 했지, 피페처럼 오로라 제작소에 남으려고 발버둥 치는 이는 없었다. 지난 이십 년간 한 번도 보지 못했다는 건, 그게 곧 보편적인 현상임을 의미했다. 피페의 반응은 확실히 정상적이지 않았다. 그녀는 지나치게 자신을 과신하고 있었다.

그리고 찰나를 스치던 희번덕거리는 눈. 부아는 피페의 눈이 묘하게 번쩍이고 있음을 알아차렸다. 소름 끼칠 정도로 익숙한 눈빛이었다. 그건 퇴출당한 많은 오로라 제작자들이 보였던 마지막 눈빛과 완벽하게 같았다. 부아는 그 눈을 보는 순간 확신했다. 그녀는 아슬아슬한 정신의 줄타기를 하고 있었다. 피페는 핀이 빠진 수류탄이었다. 언제 터져도 이상하지 않을 폭탄. 여태 초인적인 정신력으로 터져 나오려는 증상들을 억누르고 있었던 것뿐, 피페도 그들처럼 꿈 몸살의 절차를 밟고 있었다.

부아의 막연한 추측은 검사 결과지를 확인하며 분명해졌다. 피페의 신경계는 여태 미치지 않고 지낸 게 신기할 정도로 엉망진창이었다. 그녀는 오래전부터 심각하게 망가져 있었다. 이상하게도 전혀 티가 나지는 않았지만.

그래도 정신력 하나만큼은 인정한다. 인정해. 몸 상태가 이런데도 겉으로는 그렇게 멀쩡해 보였다니. 십 년 동안 오로라 제작자를 지낸 사람은 뭐가 달라도 다르네.

부아는 혀를 내둘렀다. 오 년을 채우기도 힘든 오로라 제작소에서 십 년을 버틴 피페에게는 확실히 남다른 면모가 있었다. 하지만 감탄도 잠시뿐, 부아는 곧 한숨을 내쉬었다.

그나저나 이제 어떻게 한담. 분명 피페는 자신이 미치지 않았다고 할 텐데. 미쳐 가는 걸 절대적으로 부정하는 사람한테 어떻게 꿈 몸살에 걸렸다는 걸 증명해 보이지.

부아는 난감한 표정으로 중얼거렸다. 아무래도 디버깅 요원이 답인가. 부아는 그보다 더 효과적인 방법이 생각나질 않았다. 제아무리 피페라도 디버깅 요원의 말을 무시하기는 쉽지 않을 것이었다.

그래서 부아는 십 분째 눈치만 보는 중이었다. 입으로는 의미 없는 대화를 이어가면서도 머릿속으로는 어떻게 말을 꺼내야 할지를 고민했다. 피페가 큰 저항 없이 디버깅 요원과의 만남을 동의하게 할 적당한 순간과 방법을 계산하고 있었다.

"괜찮아졌어요. 쉬니까 아무래도."

차분하게 들려오는 피페의 목소리. 그녀의 눈은 여전히 공허했지만, 여전히 질문에 맞는 올바른 답을 하고 있었다. 그건 피페가 아직 정신을 놓지 않았다는 뜻이었다.

"너무 쉬어서 이제 아프거나 결리는 데도 없어요. 삼십 년은 더 거뜬히 일할 정도로 멀쩡해요. 알잖아요, 제가 얼마나 오로라 제작에 진심인지. 전 은퇴할 때까지 일할 거예요."

피페의 눈이 순간적으로 번득였다. 그녀의 서늘한 눈빛에 부아는 머리가 쭈뼛 서는 게 느껴졌다. 평소에도 일 욕심이 많았지만, 요즘 들어 피페는 탐욕스러울 정도로 일에 집착했다.

"그래서 쉬는 동안은 뭘 했어요?"

부아가 화제를 돌리자 광기 어렸던 피페의 눈은 금세 평소처럼 돌아왔다. 그녀는 이내 싱긋 웃으며 말했다.

"공원에 갔지요. 요새 제 유일한 낙이에요. 얼마 전에는 인공 잔디를 개장했더라고요. 전국에서 최대 규모래요. 요새 잔디로 음악도 틀어 주는 거 아세요? 음악 소리에 맞춰서 잔디가 춤을 추기도 해요. 정말 멋있었어요."
"아, 저번에 얘기했던 그 공원이요?"
"네. 버스 한 정거장 거리라서 걸어서도 갈 수 있지만, 요새는 무릎이 시려서 매번 버스를 타네요."
"꽤 크다고 했죠? 그때 시작했다고 말한 운동이 뭐였죠? 배

드민턴? 테니스?"

"걷기 운동이요."

"아, 참 그랬지. 걷기 운동. 걷는 것도 좋죠. 쉬는 동안 좀 많이 걸었어요?"

"다리가 아파서 많이 걷지는 못했어요. 대신 인공 잔디를 오래도록 봤지요. 넓은 초원을 보고 있으면 그렇게 좋더라고요. 마음도 잔잔해지고. 고요해지고."

"그쵸. 아무래도 인공 잔디니까요. 마음을 편안하게 하는 데 최고죠."

"네, 맞아요. 해 맑은 날 잔디밭은 가만히 보고만 있어도 좋아요. 하지만 비가 오는 날도 괜찮아요. 풀밭에 튀어 올라오는 물방울들 보는 게 또 재밌거든요. 토톡토독하는 빗소리도 좋고요."

피페가 활달하게 늘어놓는 말들을, 부아는 묵묵히 듣고만 있었다.

"그렇군요."

잠시 뜸을 들이던 부아는 손에 쥐고 있던 전자패드를 슬며시 피페 앞으로 밀어 놓았다. 화면에는 커다랗게 '디버깅 요원'이라고 적혀 있었다. 피페는 화면에 떠 있는 글자를 확인하자마자 놀란 눈으로 부아를 보았다.

"관리자님, 디버깅 요원이요?"

피페가 물었다.

"관리자님, 저 정말 괜찮아요. 아까도 말했지만 삼십 년은
더.."
"괜찮지 않아요, 피페. 이번 검사 수치도 좋지 않고, 이제는 디
버깅 요원을 한 번 만나는 게 좋을 것 같아요. 물론, 심각한 문
제가 있거나 해서 그러는 건 아니에요. 그냥 정기 검진이라고
생각..."
"아니요!"

피페가 자리에서 벌떡 일어났다.

"아니요, 그렇지 않아요. 전 미치지 않았어요. 미치지 않았다
고요! 그냥 몸이 좀 안 좋은 것뿐이에요. 전 몸이 아파요. 정신
이 아픈 게 아니란 말이에요!"

그녀는 꽥 소리를 질렀다. 부아는 난감한 표정으로 아랫입술
을 물었다.

"그래요. 피페는 지금 아파요. 아픈 거 맞아요. 그러니 디버깅
요원을 만나보자는 거예요. 다른 건 이미 다 해봤잖아요. 달
리 할 수 있는 일이 없을 정도로. 몇 달 전 피페가 오로라 제작
기에서 처음 기절한 순간부터 우리는 함께 많은 것들을 해 왔

어요. 몸의 이상 증세가 나타날 때마다 검사도 꼼꼼하게 받고, 각종 약물과 주사, 자기장 치료와 휴가까지. 안 해 본 게 없을 정도죠. 하지만 어떤 방법을 써도 피페의 몸 상태는 좀처럼 나아지질 않고 있어요. 당연히 정신의 문제가 아니라는 거 알아요. 제가 봐도 피페는 미치지 않았어요. 하지만 디버깅 요원 외에 우린 모든 걸 다 해 봤어요. 그러니 이제는 만날 때가 된 것 같아요."

피페는 여전히 혼란스러운 얼굴이었다.

"이럴 때일수록 디버깅 요원을 만나야 해요, 피페. 정확한 검사만큼 확실한 소거법도 없으니까요. 디버깅 요원을 만나서 정신에 문제가 없다는 것만 확인되면, 우선 저부터 관련 문제를 거론하지 않을 거예요. 검사를 통해서 피페가 미치지 않았다는 게 명확히 밝혀졌으니까요. 그리고 앞으로 어떠한 문제가 터져도 상부에서 피페의 정신 문제를 의심하는 일도 없을 거고요. 꿈 몸살이 아닐 테니 징계위원회에 회부 되는 일도 없겠죠. 어때요, 이만하면 꽤 괜찮은 조건이지 않나요? 검사 한 번만 받고 깔끔하게 여러 일들을 해결할 수 있잖아요."

피페는 잠시 머뭇거리다 입을 열었다.

"저는 미치지 않았으니까요?"
"피페는 미치지 않았으니까요. 그것만 명확하게 입증되면, 피페는 삼십 년이고, 오십 년이고 이곳에서 더 일할 수 있어요. 피페는 이미 그럴 자격이 충분하지만, 이번 기회를 통해서 그 충분한 자격을 다시 한번 확인해 보자는 거죠."

부아는 천천히 피페에게로 다가가 어깨에 손을 얹었다. 당장이라도 소리를 지를 것처럼 몸에 힘을 주고 있던 피페는, 어깨를 감싸는 가벼운 손길에 손쉽게 무너져 내렸다. 그녀는 가늘게 떨고 있었다. 부아는 피페의 등을 부드럽게 다독였다. 피페의 가쁜 숨이 점차 잦아들었다.

"그냥 검사일 뿐이에요, 피페. 우리 예방 주사도 맞잖아요. 그런 것처럼..."
"예방 주사? 왜 예방 주사라는 말을 하는 거죠? 예방 주사는 앞으로 다가올 일을 대비한다는 말이잖아요. 그 말은 제가 언젠가 디버깅 요원을 만날 거란 뜻인가요?"
"아니요. 그런 말은 아니고.."

피페는 부아에게서 한 걸음 물러났다. 번쩍이는 눈으로 그녀와 전자패드 화면을 번갈아서 쳐다보던 그녀는 전자 연필을 집어 들어 화면에 자신의 이름을 새겨 넣었다. 디버깅 요원과의 상담 처방을 인지했다는 서명이었다.

"내일 작업실에 오면 디버깅 요원이 기다리고 있을 거예요."

부아는 최대한 나긋나긋하게 말했지만, 피페는 차가운 눈으로 들고 있던 전자 연필을 내려놓았다.

"부아, 그거 하나만 알아 둬요. 난 틀리지 않았어요. 이건 꿈 몸살이 아니에요. 난 지친 것뿐이죠. 권태기를 지나는 것뿐이에요. 난 확실히 건강하지 않지만, 그건 절대 꿈 몸살 때문이 아니에요. 난 미치지 않았어요. 절대 미치지 않았어요."

피페는 단호하게 말하며 책상 안으로 의자를 밀어 넣었다.

"그리고 난 이곳에서 삼십 년이 넘도록 일할 거예요. 반드시."

디버깅 요원

디버깅 요원이라니. 우리가 무슨 프로그램도 아니고.

불쾌한 이름. 피페를 포함한 오로라 제작자 대부분은 디버깅 요원을 기피했다. 그들은 오로라 제작자들을 위해 기용된 특수 심리 상담가들이었지만, 그건 단지 표면상의 이유라는 걸 모르는 이는 없었다.

오로라 제작자들은 디버깅 요원을 '인사과'라고 불렀다. 꿈 몸살에 시달리는 오로라 제작자들이 가장 마지막으로 만나게 되는 이가 디버깅 요원이었기 때문에 생긴 별명이었다. 관리자들은 그걸 '디버깅 요원과의 특수 심리상담'이라 불렀지만, 그 어떤 상담에서도 오로라 제작자들의 마음에 관심을 보이는 디버깅 요원은 없었다. 그들이 궁금한 건 오로라 제작자의 심리나 정신 상태 따위가 아닌, 앞으로 일을 지속할 수 있는지였다. 그래서 그들은 상담 내내 날카로운 눈으로 오로라 제작자들을 관찰하며 성능을 판가름했고, 그들의 의견은 오로라 제작자 평가에 즉각 반영되었다.

오로라 제작소는 디버깅 요원의 분석을 전적으로 신뢰했다. 디버깅 요원은 언제나 옳았다. 틀려도 옳았다. 아무도 그들의 의견에 의문을 제기할 수 없었기 때문에, 그들은 언제나 옳을 수밖에 없었다. 그래서 오로라 제작자들은 디버깅 요원과의 만남을 최대한 꺼렸다. 목숨줄을 쥐고 있는 막강한 존재는, 최대한 마주치지 않는 편이 나았다.

우리가 할 수 있는 일이라곤 그저 녹슨 부품이 아니라고 설득하는 것뿐일 테니까.

지금 내가 그러려고 하는 것처럼. 피페는 한숨을 쉬며 시계를 확인했다. 시간은 9시 50분을 향하고 있었다.

10분 남았군.

디버깅 요원과 만나기로 한 시간이 다가오고 있었다. 그녀는 목을 감고 있는 스카프 끝을 만지작거렸다. 노화가 시작된 후부터 중요한 날에는 빼놓지 않고 착용하는 패션 아이템이었다. 한낱 목주름 따위가 상대의 시선을 끌기를 바라지 않는 날, 그녀는 늘 가장 고급스러운 천을 목에 둘렀다.

벨이 울렸다. 화면이 켜지며 작업실 복도를 보여주었다. 검은 헬멧을 쓴 사람이 문밖에 서 있었다. 피페는 크게 숨을 몰아쉬고서 버튼을 눌렀다. 문이 스르르 열렸다. 문밖으로는 검은 사람의 실루엣이 나타났다. 신소재로 만들어진 검은색 바디수트와 내부가 전혀 보이지 않는 까만 헬멧을 쓴 디버깅 요원. 검은 헬멧의 가장자리에는 홀로그램 글자들이 쉴 새 없이 번쩍거렸다. '업무 수행 중. 방해 금지. 업무 수행 중. 방해 절대 금지.' 머리를 맴도는 화려한 글자들은 디버깅 요원을 알리는 소리 없는 사이렌과도 같았다.

가녀린 체구의 디버깅 요원은 성큼성큼 작업실 안으로 걸어 들어왔다. 피페는 자리에서 일어나 손바닥으로 반대편에 놓인 의자를 가리켰다. 디버깅 요원은 고개를 끄덕이며 의자를 향해 걸었다.

꽤 자그마하네..?

지금껏 보았던 디버깅 요원들은 모두 근육질에 덩치가 산만했던지라, 피페는 자신보다도 선이 가는 요원을 신기하다는 듯이 쳐다보았다.

"반갑습니다."

검은 헬멧에서 굵은 남자의 음성이 흘러나왔다. 피페는 요원이 내민 손을 맞잡았다. 피페의 손안에 쏙 들어올 정도로 작은 손이었다.

"반가워요. 편하게 앉으세요. 작업실까지 오시느라 힘들지는 않으셨나요?"

피페는 디버깅 요원에게 최대한 밉보이지 않기 위해 최대한 높은 톤을 유지했다. 그가 의자에 앉자 피페는 어색하게 웃으며 맞은편 자리에 앉았다. 디버깅 요원은 자리에 앉자마자 투명한 전자패드를 꺼내들었다. 한 치의 망설임도 없이 화면을 움직이더니, '비밀 유지 서약서'를 열어 피페에게 보였다.

"디버깅 요원은 침묵을 유지할 것을 맹세합니다. 상담에서 나는 대화는 오로라 제작자의 건강과 관련된 사안을 제외하고 결코 오용이나 남용되지 않을 것입니다. 이를 어길 시 디버깅 요원은 합당한 징계를 받을 것이며, 오로라 제작자는 개인 정보 유출로 발생한 피해에 대해 이의를 제기할 수 있습니다."

화면에 엄지를 댄 채로 디버깅 요원은 중얼중얼 문구를 읊었다. 습관적이고 딱딱한 말투였다.

"서약서에 서명해 주세요."

디버깅 요원은 전자패드를 피페에게 내밀었다. 피페가 엄지를 화면 위에 가져다 대자 빛이 반짝이며 알림음이 울렸다.

"그럼 상태를 좀 보죠."

디버깅 요원은 가방에서 작고 동그란 기기를 하나 꺼내서 피페 곁에 내려놓았다.

"뇌파 스캐너입니다. 피페의 신체 상태를 확인하기 위함이니 너무 불쾌하게 생각하지 말아 주세요."

그는 그렇게 말하며 전자패드로 눈을 돌렸다. 피페는 작은 빛을 내는 카메라를 흘금대며 초조하게 입술을 물어뜯었다. 오늘 만남을 위해 어젯밤에 단단히 마음의 준비도 했건만, 밤새 되풀이한 자기 암시들은 실제 면담 자리에서 하나도 쓸모가 없었다. 아무것도 모른다는 게 가장 큰 문제였다. 피페는 오늘 어떤 질문을 받게 될지, 무슨 말을 해야 할지를 전혀 알 수 없었다. 오로라 제작자들은 대부분 디버깅 요원과의 면담에 대해 아는 바가 없었다. 그들이 알고 있는 이야기라고는 풍문으로 떠도는 소문들이나 와전에 와전이 되어 이미 한참 뒤틀려진 이상한 묘사들 뿐이었다.

디버깅 요원과의 면담이 미지의 영역이 된 데에는 결정적인 이유가 있었는데, 바로 그들과 만난 사람들이 대부분 제정신이 아니라는 것이었다. 디버깅 요원을 만나는 사람들은 거의 다 중증 꿈 몸살을 앓고 있었고, 그런 사람들은 대부분 정상적인 대화가 불가능할 정도로 꿈에 대한 헛소리만을 늘어놓았다. 당연히 디버깅 요원에 대해 제대로 설명해 줄 수 있을 리도 만무했다. 그러니 오로라 제작자들은 정신이 멀쩡한 채로 디버깅 요원을 만난 극소수의 경험담에 의존할 수밖에 없었고, 그건 대부분 부풀려질 대로 부풀려진 뜬소문들 뿐이었다.

피페가 디버깅 요원에 대해 유일하고 알고 있는 사실이라고는 디버깅 요원의 모든 모습이 거짓이라는 것 정도였다. 외형은 물론, 목소리마저도 완벽하게 가짜라는 사실. 그건 그가 해 주었던 여러 이야기 중 하나였다.

"디버깅 요원은 모두 신체 변형 슈트와 홀로그램 헬멧, 가짜 목소리를 이용해 완벽하게 신변을 가린대. 신체 변형 슈트로는 체형을 변형시키고, 검은색 홀로그램 헬멧으로는 얼굴을 가리고, 헬멧에 탑재된 인공지능으로 진짜 같은 가짜 목소리를 만들어 실제 목소리를 덮는다나 봐. 아주 철저하고 비겁하게 우리의 눈을 속이는 거지."

오로라 제작소가 디버깅 요원의 신변을 완벽하게 감추려고 애를 쓰는 이유를 공식적으로 밝힌 적은 없었지만, 오로라 제작자들은 지레짐작으로 알고 있었다. 그들의 특수한 작업복은 보복 방지용 갑옷이었다. 오로라 제작소에서 퇴출된 제작자들이 앙심을 품고 디버깅 요원을 공격할 수 없도록, 시끄러운 일을 미연에 방지하려는 정책이었다. 오로라 제작소는 자신들과 관련된 어떠한 이야기도 뉴스에 실리기를 바라지 않았다. 그게 부정적인 이야기라면 더더욱. 그래서 그들은 할 수 있는 한 모든 수단을 동원하여 문제가 일어날 소지를 줄였다. 하지만 오로라 제작소가 방어적인 태도를 취하면 취할수록 오로라 제작자들은 그들의 의도를 더욱 투명하게 알 수 있었다. 아무도 소리 내어 말하지는 않았지만, 제작자들은 암묵적으로 알고 있었다. 오로라 제작소가 발설하지 않는 진짜 본심을. 자신들을 바라보는 그들의 시선을.

"건강이 매우 좋지 않으시군요."

디버깅 요원은 건조하게 말하며 전자패드 위의 수치들을 살폈다.

"갈 길이 멀어 보이네요. 길어지면 어차피 서로 힘드니, 짧게 합시다. 단도직입적으로 묻죠. 어쩌다 이 지경이 되신 겁니까?"

심리 상담가라고 하기에는 너무나도 딱딱한 질문. 피페는 그 질문을 듣자마자 자신이 여태 들었던 소문들이 전부 거짓이 아니라는 사실을 깨달았다. 그는 피페의 정신 건강을 살피러 온 사람이 아니었다, 그녀가 오로라 제작자로서 제대로 기능하는지를 점검하러 온 것뿐이었다.

"왜겠어요."

반병신이 되었으니까 그렇죠. 피페는 저도 모르게 생각을 잎 밖으로 내뱉으려다 급하게 말을 삼켰다. 미쳤어, 미쳤어. 피페는 자신의 손등을 찰싹 때렸다. 정신 차려, 피페. 너 진짜 정신 차려야 돼.

···

"피페, 정신 차려!"

피페는 그의 목소리에 화들짝 놀라 고개를 들었다. 거친 진동음이 작업실 전체를 울렸다. 그의 사탕 기계에서 나는 소리였다. 그는 기계의 스위치를 몇 번 더 건드린 후에야 피페에게 작은 스티커를 내밀었다. 귀밑에 붙이는 초소형 무전기. 반경 1미터 이내에서만 소통할 수 있다는 작은 무전기는 오로라 제작소의 레이더망에 감지되지 않는 유일한 통신 장치였다. 그는 그작은 무전기가 전파 신호를 교란해 작업실 감시 카메라의 녹화와 녹취까지 막아 준다고 했지만, 피페는 그 말을 믿지 않았다. 무전기가 켜진 상태에서도 작업실 내 감시 카메라는 한결같이 깜박였기 때문이다. 하지만 피페는 그의 허풍을 굳이 짚어내진 않았다. 피페는 점심시간마다 옆 방 작업실로 놀러 가 그와 무전기로 대화를 나누는 걸 좋아했고, 굳이 정확한 사실들로 그시간을 망치고 싶지 않았다.

"내가 방금 뭐라고 했어?"

피페는 눈을 꿈뻑이며 그를 쳐다보았다.

"또, 또. 잘 들어, 오로라 제작자들 사이에는 유명한 말이 하나 있어."

"아, 나 그 말 뭔지 알 거 같아."

"뭔데, 얘기해 봐."

그가 하얗게 센 수염을 쓸어내리며 말했다.

"멀쩡한 오로라 제작자는 들어온 지 일 년이 안 된 오로라 제작자뿐이다."

피페는 짐짓 무게감 있는 목소리로 문장을 읊었다.

"그래. 근데 왜 그 말이 유명한 줄 알아?"

"왜겠어. 당연한 거 아니야? 신입 시절 지나면 다들 흐리멍텅하게 변하잖아. 조금만 지나면 다들 늙거나 병들기 시작하고."

"그래, 근데 왜 그렇게 늙고 병들기 시작하냐고."

"그야.."

피페는 말문이 막힌 채로 그를 쳐다보았다. 그러자 그는 주머니에서 동그란 알갱이를 꺼내 들었다. 하얀색의 얇은 막 안에서 일렁이는 보라색과 청록색의 빛. 그건 사탕 크기로 작게 만든 오로라 얼음이었다.

"오로라 얼음?"

피페는 놀란 목소리로 물었다. 한 번도 들어 본 적 없던 이야기였다.

"그래, 오로라 얼음 때문이야."

"에이, 말도 안 돼. 그럼 세상 사람들이 다 오로라 얼음 부작용에 시달려야지. 오로라 얼음에 중독성과 부작용이 없다는 건 이미 오래전에 입증된 이야기잖아."

"오로라 얼음 부작용은 소화기나 혈관을 통해 다량을 흡수했을 때만 나타나. 밖에서는 보통 호흡기 점막으로 아주 조금씩만 들이마시잖아."

"그래도.. 그렇게 위험하면 상상학교를 다닐 때 이미 알려주지 않을까?"

"야, 이 답답아."

그는 답답하다는 듯이 가슴을 쾅쾅 쳤다.

"상상학교에서 이런 얘길 왜 해 줘. 오로라 제작소 문 닫게 할 일 있어? 부모들한테 단체로 소송당할 일 있어? 이건 일하면서 알아가는 거야. 다들 암암리에 알고 있는 걸 넌 이제야 알게 된 거고. 그래도 늦은 건 아니야. 넌 아직 제작소에 입사한 지 세 달도 안 되었으니까. 보통 일한 지 일 년이 넘어간 후에야 알게 되거든."

오로라 얼음을 든 그의 손이 피페 가까이로 다가왔다, 그녀는 저도 모르게 그의 손 위에 놓인 오로라 얼음을 집으려고 손을 뻗었다. 그때 그가 그녀의 손등을 찰싹 때렸다. 아야. 피페가 소리쳤다.

"왜 때려!"
"오로라 얼음 위험하다고 방금 말했다, 방금. 그런데도 그런 짓을 하고 싶냐?"
"우리 오로라 얼음하고 매일 같이 산다. 매일 같이 살아. 나 방금도 하나 만들고 왔다. 좀 만지면 안 되냐?"
"안 된다."
"하이고."

피페는 한숨을 내쉬며 입을 앙 다물었다. 한없이 둥글둥글한 그였지만, 오로라 얼음 앞에서만큼은 늘 날카롭게 변했다.

"자기도 오로라 제작자면서."

피페는 입을 삐죽대다 바구니에 담긴 사탕을 하나 꺼내서 입에 던져 넣었다.

"맛있어?"
"어."
"그래, 그럼 먹으면서 들어."

사탕을 오물거리는 피페를 보며 그는 슬며시 미소 지었다.

"오로라 제작자는 일 년이 지나자마자 반병신이 돼. 노화도 그때쯤 시작하지. 보통 마의 3년, 마의 5년이라고 하거든? 3년 차에 오로라 얼음 부작용이 본격적으로 시작되고, 5년 차에 일을 그만둔다는 뜻이야."
"부작용이 나타나고도 2년을 더 일할 수 있다니. 좋은 직업이네."

피페의 말에 그는 그녀를 쏘아보았다.

"2년을 더 일할 수 있는 게 아니야. 목숨만 부지하고 있는 거지. 마지막 1년은 거의 다들 제정신이 아니니까. 오로라 얼음 부작용 때문에."

그는 숨을 크게 들이쉬고는 단호한 표정으로 말했다.

"그러니까 오로라 얼음을 먹을 거면 알사탕을 먹어. 저런 쓰레기는 쳐다도 보지 말고, 만지지도 마."

그는 손 위에 올려 두었던 오로라 얼음을 짓이겨 가루로 만들었다. 쓰레기통에 가루들을 탈탈 털어 넣고서는 단호하게 뚜껑을 닫아버렸다.

"또 그 소리."

피페는 투덜거리며 사탕을 하나 더 집어 들었다.

오로라 얼음을 먹을 거면 알사탕을 먹어. 그건 그가 늘 입버릇처럼 하는 말이었다. 그의 작업실을 찾을 때마다 귀에 딱지가 앉도록 들은 말이기도 했다. 그가 단순히 잔소리만을 하는 건 아니었다. 그는 매일같이 사탕을 만들어 피페에게 나누어 주었다. 오로라 얼음이 조금도 궁금하지 않도록, 그녀를 위한 사탕을 공급해 주었다. 피페는 일을 하다 힘에 부칠 때마다 그가 전해 준 사탕을 하나씩 입에 물었고, 사탕의 달콤함에 취해 다시 행복한 꿈을 꿀 수 있었다.

"그런데 왜 하필이면 사탕이야? 단 음식이라면 초콜릿이랑 젤리랑 콜라 같은 것들도 있잖아. 그런 걸 먹으면 안 되는 거야?"

피페는 입 안에서 사탕을 굴리며 물었다.

"다른 게 먹고 싶어? 다른 걸 해 줄까?"

그가 사탕 기계에 설탕을 한 봉지 털어 넣으며 되물었다. 봉지의 겉면에는 커다랗게 '유기농'이라는 글자가 적혀 있었다.

"아니, 나도 사탕 괜찮긴 한데, 그냥 궁금해서 그러지."
"사탕은 내 이름이랑 닮았잖아. 난 나랑 닮은 것들이 좋아."
"단순히 좋아서 만드는 거야?"
"이왕이면 내가 좋아하는 걸 만드는 게 좋잖아. 더 재밌기도 하고."

그는 빙긋 웃으며 피페의 앉은 자세를 고쳐 주었다.

"웬만하면 그쪽을 보면서 앉아 있지 마. 어제 작업실 감시 카메라 위치가 바뀌었거든. 무전기가 전파를 교란하고 있어서 녹화가 안 되는 중이긴 할 텐데, 그래도 혹시 모르니까. 카메라에 입 모양이라도 잘못 잡히면 곤란하잖아."

피페는 감시 카메라가 있는 방향을 흘긋 보며 물었다.

"바로 옆 작업실인데 왜 여기만 감시 카메라 위치가 바뀌어?"
"글쎄, 오로라 제작소가 날 싫어하나 보지."

그는 심드렁하게 답하며 과일 향료가 담긴 통을 집어 들었다. 기분 좋게 싱그러운 무화과 향이 공기를 타고 흘러왔다.

"요즘 작업은 잘 돼? 상상 근육은 여전히 잘 단련하고 있지?"
"잘하고 있어. 걱정 마."
"그래. 오로라 얼음 없이도 오 년은 버텨야 돼. 최소 오 년이야. 그보다 길면 더 좋고. 늘 말하지만, 넌 절대 나같이 되면 안 돼. 알겠지? 피페, 넌 나보다 곱절은 특별해. 어쩌면 오로라 제작소를 통틀어 가장 특별할지도 모르지. 네게는 우리 모두가 갖지 못한 시간이 있으니까. 너는 아직 기회가 있어. 그걸 최대한 이용해. 이기적이어도 괜찮아. 눈앞에 있는 기회를 함부로 뿌리치지 마. 알겠지?"
"알았어. 오로라 얼음 절대 안 먹어. 맹세. 또 맹세."

"좋다, 좋아."

피페의 옆 방 제작자. 그와 공유했던 시간의 단편들. 피페는 그 속에서 많은 것들을 보았다. 그는 어디에서도 듣지 못했던 현실의 지식을 알려 주었다. 몇몇 말들은 진짜인지 의심스럽기까지 했지만, 그마저도 대부분 삶에 도움이 되었다. 덕분에 피페는 신입 제작자가 흔히 맞닥뜨리는 장애물들을 손쉽게 피할 수 있었고, 남들보다 더 긴 세월을 오로라 제작자로 살 수 있었다.

"근데 나한테 왜 이렇게 잘해주는 거야?"

피페는 언젠가 그에게 그렇게 물은 적이 있었다. 퇴근 시간이 다가오는 늦은 오후. 유독 일이 빨리 끝난 금요일이었다.

"내 알사탕을 받아 줬잖아. 그것도 오로라 제작소에 들어온 첫 주에."

그는 오로라 제작기의 전원을 끄며 말했다.

"이야, 로맨틱하다. 진짜 그게 전부야?"
"로맨틱하다니. 고작 그렇게밖에 표현이 안 돼? 사탕은 내 전부야. 내 인생이라고. 이 낭만을 이해하는 사람이라면 내 친절을 받을 자격이 있어."

그는 고개를 끄덕였다. 턱 밑으로 길게 늘어진 하얀 수염도 함께 흔들렸다.

"그리고 보통 신입 제작자들은 내 겉모습만 보고 슬금슬금 피한단 말이야. 말을 걸어도 다들 도망가기 바쁘고. 하지만 넌 아니었지. 넌 내 부름에 걸음을 멈췄어. 사탕도 받아주었고. 난 그걸로 모든 걸 보았다고 생각해."

그러고는 수줍게 덧붙였다. 그의 눈가에는 어느새 반달 모양의 무지개가 피어나 있었다. 피페는 잔뜩 어색해하는 그의 모습을 보며 저도 모르게 픽 웃었다.

"그랬구나. 그 순간에 모든 걸 보았구나."

피페의 장난스러운 말에 그가 새초롬한 눈으로 그녀를 흘겨보았다.

"넌 몰라. 신입을 만날 때 우리의 마음이 어떤지. 오로라의 환상에 젖어 좋은 것만 보려 하는 맹목적인 시선이 얼마나 아픈지. 신입 오로라 제작자들은 매번 똑같아. 다들 평생 늙지 않을 것처럼 굴지. 그래서 언제나 기이한 눈으로 우리를 쳐다봐. 마치 못 볼 꼴이라도 본 것처럼. 예의를 차린 말과 시선 속에서도 그런 마음이 뚝뚝 묻어 나와. 난 그런 시선들이 언제나 몸서리치게 괴로웠어. 널 만나기 전까지는 말이야."

피페는 그의 솔직한 고백에 멋쩍게 웃었다. 하지만 어렴풋이 그의 마음을 이해할 수 있을 것도 같았다. 그는 삼십 대 초반이었지만, 영락없는 노인의 모습을 하고 있었다. 신입 때 아무것도 몰랐던 그는 오로라 얼음을 닥치는 대로 사용했다고 했다. 과하게 오로라 얼음을 취하는 그를 보고, 선배들이 넌지시 위험성을 경고했음에도 업무 능률을 올려 주니 일단 먹고 보자는 심리였다고 한다. 그렇게 오랫동안 오로라 얼음을 복용하던 그는 최근에야 위험성을 직시하고 복용량을 줄여 가는 중이었다. 하지만 오로라 얼음을 끊는다고 해서 진행되고 있던 노화를 멈출 수는 없었다. 그를 처음 만났을 때 드문드문 보이던 검은 머리칼은 이제 한 가닥도 보이지 않았다.

그는 머리카락보다 수염의 가닥수가 더 많은 사람이었다. 가슴께까지 늘어진 허연 수염을 머리보다 더 정성스럽게 빗었으며, 눈이 좋지 않아 돋보기를 늘 필수적으로 지니고 다녔다, 눈가 주름은 손금보다 깊었으며, 이가 좋지 않아 점심 메뉴로 고기가 나오면 젓가락으로 잘 집히지도 않을 정도로 작게 잘라 먹어야 했다. 언뜻 봐도 노인이었고, 자세히 봐도 할아버지였지만, 그의 신체 중 유일하게 나이 들지 않은 부분이 있었다. 그의 눈. 언제나 한결같이 반짝이는 옅은 갈색의 눈동자. 그래서 피페는 차마 그를 노인이라 부를 수 없었다. 이십 대 중반인 그녀가 삼십 대 초반인 그에게 할아버지라고 부르는 것도 실례였겠지만, 그의 눈을 보고 있으면 피페는 어느새 그가 노인이라는 사실을 까마득하게 잊어버렸다.

"외모만 보고 함부로 판단하는 사람들이 잘못된 거지. 막말로 진짜 할아버지라고 쳐 봐. 노인은 사탕도 못 줘? 주고 싶으면 주는 거지."

"요점은 알겠는데, 막말로라도 할아버지라고 치지는 말아 주라. 맘이 아프다."

"예, 알겠습니다, 선배님."

"오냐."

그와 그녀는 동시에 웃음을 터트렸다. 방안을 가득 채웠던 웃음이 잦아들자, 피페는 제멋대로 흩어져 있는 식용 염료들을 한쪽으로 치우며 책상에 걸터앉았다. 그녀는 작업실을 오가며 퇴근을 준비하던 그를 물끄러미 관찰하다 입을 열었다.

"근데 왜 오로라 제작자로 계속 일하는 거야? 오로라 제작소가 그렇게 싫으면 지금이라도 그만둬도 되지 않아?"

"그게 무슨 말이야?"

"좀처럼 오로라 제작소를 좋아하지 않잖아. 노인이 된 외모도 싫고, 오로라 제작소의 모든 것들을 혐오하는데, 왜 아직도 오로라 제작자로 있는 거야?"

순간적으로 그의 표정이 굳어졌다. 감시 카메라를 한 번 흘긋 보고는 이내 씁쓸하게 웃었다.

"일이라는 게 그렇게 쉽게 그만둘 수 있는 게 아니야. 더군다나 오로라 제작자는. 넌 어떨지 모르겠지만, 난 책임져야 할 이들이 많아. 많은 오로라 제작자들이 그렇듯이. 왜 그런 말도 있잖아. '가족 중에 오로라 제작자가 있다면 온 가족이 아무것도 안 해도 된다. 그럴 필요가 없으니까.' 참 멋진 말이야. 멋진 만큼 지랄맞기도 하고."

"그냥 지랄맞지, 그게 뭐 멋져."

피페는 사탕 포장지를 구기며 투덜댔다. 피페에게도 가족이 있었지만, 그는 유독 딸린 식솔들이 많았다. 부모와 세 명의 형제자매, 그들의 배우자 둘과 세 명의 조카까지. 그는 여태 혼자였지만, 그의 가족은 그걸 크게 문제 삼지 않았다. 그리고 그건 그도 마찬가지였다.

"내 외모를 봐. 이런 쭈그렁탱이 할아범에게 누가 시집오고 싶겠어. 남은 인생은 그냥 가족을 위해 살 거야. 난 조카들만 봐도 좋아. 나랑 똑 닮았으니까."

아련한 그의 말을 들을 때마다 피페는 복도 끝 작업실을 쓰는 작업자를 떠올렸다. 나이로 따지면 언니였겠지만, 그녀 또한 오로라 얼음 부작용으로 주름이 자글자글한 노파가 되어 있었다. 언젠가 좋은 사람이 있으면 소개해 달라고 부탁했던 그녀. 피페는 그녀가 그와 참 잘 어울린다고 생각했다. 소개팅을 주선할 계획까지 전부 세워 두었지만, 결국 만남은 성사되지 못했다.

그 전에 일이 터져 버렸으니까. 그 일이 벌어진 후 피페의 삶은 돌이킬 수 없을 정도로 변해버렸고, 피페는 자신이 누군가의 소개팅을 주선하려 했다는 사실조차 잊어버렸다.

그리고 얼마 지나지 않아 피페의 삶에는 오로라 얼음이 들어섰다. 피페는 끝까지 오로라 얼음이 필요하지 않다며 고집을 부렸지만, 부아는 완강했다. 피페의 상태가 도무지 나아질 기미가 보이지 않는다는 건 표면적인 명분이었고, 그녀의 오로라 얼음 품질이 눈에 띄게 형편없어졌다는 것이 본질적인 이유였다.

"좋게 생각해요. 그래도 많이 미룬 거예요. 4년 차에 오로라 얼음을 처방받는 제작자는 많지 않으니까. 피페가 그래도 실력이 있으니까 지금 처방하는 거지. 다른 제작자들 같았으면 벌써 처방받고도 남았어요."

부아는 전자패드에 글씨들을 휘갈기며 그렇게 말했다. 피페는 그녀의 말을 따를 수밖에 없었다. 오로라 제작자는 아무것도 거부할 수 있는 권리가 없었다.

오로라 얼음 처방 이후 피페의 삶은 완전히 달라졌다. 오로라의 꿈은 그녀의 무의식을 파고들어 한 번도 알지 못했던 행복의 자극을 끄집어냈다. 오로라는 피페가 바라는 행복이 무엇인지를 그녀보다도 더 잘 알고 있었다. 오로라의 꿈에서 피페는 언제나 성공하고 승리하기를 반복했다. 그녀는 오로라 얼음을 통해 여태 알지 못했던 자신의 여러 욕망을 유영했다. 제작하는 오로라 얼음의 품질도 날이 갈수록 좋아졌다.

피페는 결국 오로라 얼음의 덫에 빠져들었다. 그렇게 그녀는 천천히, 반병신이 되어 갔다. 그가 그토록 경계하던 오로라 제작자의 모습. 피페는 그런 모습으로 점차 변해 가고 있었다.

···

"피페. 무슨 생각합니까?"

디버깅 요원은 벌써 세 번째 그녀를 부르고 있었다. 한참 동안 그녀의 답을 기다리던 디버깅 요원은 결국 발끝으로 피페의 정강이를 툭 쳤다. 그녀는 그제야 정신이 돌아온 듯 디버깅 요원을 돌아보았다.

"죄송해요. 방금 질문이 뭐였죠?"

디버깅 요원이 한숨을 쉬며 신경질적으로 전자패드를 무릎에 내려놓았다.

"피페, 이러면 최종 심사에 안 좋은 영향을 줄 수밖에 없어요."

그는 헬멧의 하단부를 톡톡 건드리며 말했다.

"대화를 하는 중에 자꾸만 다른 생각을 하는 건 꿈 몸살의 결정적인 증상입니다. 하지만 피페는 미친 게 아니라면서요.

그럼 미치지 않았다는 걸 증명해 보이세요. 내 얼굴 또 보고 싶어요?"

피페는 흠칫 놀라 그를 보았다. 그의 목소리가 순간적으로 묘하게 바뀐 것 같은 느낌이 들어서였다. 앳되고도 여린 목소리. 남자보다는 여자에 가까운 음성이었다. 인공지능 오류인가? 그녀는 고개를 갸우뚱했다.

"피페!"

피페가 대답 대신 디버깅 요원의 헬멧만 빤히 쳐다보고 있자, 그가 답답하다는 듯이 또 한 번 그녀를 불렀다.

"미안합니다. 미안해요. 뭔가를 잘못 들은 것 같아서요."

피페는 아차 싶었다. 무언가를 잘못 들은 것 같다는 말. 그건 해서는 안 될 말이었다. 환청은 오로라 제작자가 흔히 보이는 정신 이상의 초기 증세였다. 할 수 있다면 입을 한 대 세게 치고 싶었다. 그녀는 오늘 너무 많은 실수를 저지르고 있었다.

분위기 반전이 필요했다. 그는 이미 한참 전부터 피페를 못마땅하게 생각하고 있었다. 디버깅 요원의 의심을 없애기 위해서는 결정적인 한 방이 필요했다.

"그러지 말고 이러는 건 어때요?"

피페는 애써 환하게 웃으며 물었다.

"직접 보여줄게요. 오로라 얼음 제작 과정을 시연해 보일 테니, 직접 보고 판단하세요. 요원님께서 납득할 만한 얼음을 만들면 되는 거 아니겠어요? 어쨌든 가장 중요한 건 얼음의 품질이잖아요."

피페는 디버깅 요원의 무릎을 가볍게 두드렸다. 그를 안심시키기 위한 무언의 신호였지만, 그는 그녀의 손길이 불쾌하다는 듯 다리를 뒤로 뺐다.

"지금 오로라 얼음을 제작하겠다고요? 피페, 오늘 저는 꿈이 아닌 현실에서의 피페 정신 상태를 확인하러 온 겁니다."
"그러니까요. 현실의 제가 오로라에 영향을 미치는지, 그걸 확인하러 온 거잖아요."
"그 반대죠. 오로라의 꿈이 피페의 현실에 얼마나 영향을 주고 있는지를 확인하러 온 겁니다."
"정말 그런가요?"

피페의 질문에 디버깅 요원은 잠시 멈칫했다.

"정말 그렇냐니, 그게 무슨 말입니까?"
"우리, 솔직해지죠. 이건 상담이 아닌 검증이잖아요. 저 작은 감시 기계도, 지금 우리의 이 형편없는 상담도. 전부 제가 오로라 제작자로서 제대로 일할 수 있는지를 확인하려는 것뿐이잖아요. 그러니 빙빙 돌리는 말로 가능하기보다는 짧고 확실한 방법으로 보여주겠다는 거예요. 요원님이 말한 것처럼, 상담이 길어지면 어차피 서로 힘만 들 테니까요."

디버깅 요원은 말없이 피페를 노려보았다. 두꺼운 헬멧이 그의 얼굴을 가리고 있었지만, 피페는 그가 자신을 노려보고 있다는 걸 알았다. 디버깅 요원은 모든 감사원이 그러한 것처럼 주도권을 빼앗기는 걸 좋아하지 않았다.

하지만 그는 왜인지 피페의 말에 딱히 반박하지도 않았다. 그저 생각이 많아진 손짓으로 헬멧의 하단부를 톡톡 두드릴 뿐이었다. 피페는 그런 그를 초조하게 지켜보았다. 영겁 같은 몇 초가 흐른 뒤, 그는 마침내 입을 열었다.

"그게 피페의 결정이라면 그렇게 하죠."

그는 짧게 답했다.

"오로라 얼음을 잘 만들 수 있다는 게 확인되면, 더 볼 것도 없죠. 보통은 이런 제안, 잘 수락하지 않습니다만. 지금 피페가 중증 꿈 몸살에 시달리는 것도 아니고, 오늘은 단지 상태를 확인하러 온 것뿐이니까요. 일단은 믿어 보겠습니다."

디버깅 요원은 자리에서 일어나 길을 터 주었다. 피페는 성큼성큼 오로라 제작기를 향해 걸었다. 오랜만에 마주하는 오로라 기계는 한층 더 웅장하고 위협적이었다.

할 수 있어. 할 수 있어. 늘 해 왔던 일이잖아. 할 수 있어.

피페는 암시하듯 되뇌며 심호흡했다. 지난 십 년 동안 매일같이 해 온 일이었다. 집중하기만 한다면 별 탈 없이 끝날 것이었다. 어차피 몇 주나 몇 달 주기로 한 번씩 찾아오는 꿈 몸살이었다. 일주일 전에 한 번 겪었으니 오늘은 분명 꿈 몸살에 시달리지 않을 터였다. 피페는 그저 집중하기만 하면 되었다. 늘 하던 대로 하기만 하면 되었다.

제발 만나지 않길.

오로라 제작기 앞에 서며, 작게 주문을 외었다. 오직 그녀만이 들을 수 있는 나지막한 속삭임이었다.

갈라진 얼음

오로라 얼음 제작기에 순차적으로 불이 켜졌다. 깊은 잠에서 깨어난 거대한 기계는 몸을 부르르 떨며 은은하게 진동했다.

오로라 얼음 제작기는 분출기, 출력기, 냉각기로 이루어져 있었다. 분출기는 허리 높이까지 오는 콘솔로, 수소와 산소 원자를 이온화하여 내보냈다. 출력기는 오로라 제작자의 SEND 파동을 증폭하여 출력하는 기기로, 수소와 산소 원자들에 파동을 입혀 H^a 원소로 합성시켰다. 냉각기는 합성을 거친 H^a 원소가 완벽한 '오로라'로 변할 때쯤 작동되어, 극저온의 냉각 질소로 오로라를 오로라 얼음으로 만들어냈다.

피페는 계기판의 버튼을 누르고 레버를 당겨 놓고서, 냉동고 문을 열었다. 냉동고 안에는 산소와 수소가 들어있는 붉은색과 흰색의 합금 캡슐이 열을 맞춰 서 있었다. 피페는 두툼한 장갑을 낀 손으로 손바닥 만 한 캡슐을 하나씩 집어 들고서 냉동고의 문을 닫았다. 계기판의 녹색 버튼을 눌러 분출기의 개폐장치를 연 후, 두 개의 캡슐을 알맞게 끼워 넣었다. 분출기는 곧 거센 굉음을 내며 움직이기 시작했다. 싯싯 소리와 함께 투명 관을 타고 수소와 산소가 흘러나왔다. 공기가 빠져나오는 소리가 끝나가자 피페는 덮개를 내려 유리관을 가렸다. 덮개를 씌우자마자 유리관이 빠르게 돌아가기 시작했다. 회전력을 이기지 못해 관이 덜컹거릴 때면, 눈이 부실 정도로 번쩍거리는 빛이 덮개 사이로 새어 나왔다. 투명 유리관 아래쪽에 설치된 플라즈마 버너에서 새어 나오는 빛. 그건 제작자들이 흔히 '플라즈마 아궁이'라고 부르는 장치였다. 플라즈마 아궁이를 거치며 산소와 수소는 완벽하게 이온화되었고, 오로라가 될 준비를 마친 모습으로 출력기에 흘러 들어갔다.

출력기는 천장에 매달린 거대한 유리 구체와 그에 연결된 몇 가지 금속 장치들로 이루어져 있었다. 열기구 풍선같이 거대한 구체의 상단에는 철제 고깔이 달려 있었고, 하단에는 축음기의 나팔관 같이 생긴 금속 조형물이 구체를 감싸고 있었으며, 금속 나팔관은 다시 아래에 설치된 정육면체 모양의 투명 큐브와 연결되어 있었다. 투명 큐브는 제작자들이 꿈을 꾸는 '상상 큐브'로, SEND 파동이 만들어지는 곳이었다.

피페가 상상 큐브 앞에 서자, 정육면체를 이루는 모든 선에 하얀빛이 들어왔다. 그녀는 큐브의 잠금장치에 팔에 차고 있던 팔찌와 홍채를 번갈아서 인식시켰다. 곧 큐브를 이루고 있던 네

면의 벽이 열렸다. 상상 큐브는 일주일 전과 같은 모습으로 그녀를 반겼다. 정육면체 공간의 한가운데에는 유리로 만든 동그란 연단이 있었고, 연단 위에는 하얀색 소파와 은색 탁자가 놓여 있었으며, 탁자의 한가운데에는 오로라 얼음이 가득 채워진 철제 쟁반과 집게가 놓여 있었다.

피페가 큐브 안으로 발을 내딛자 사면의 벽이 서서히 내려와 닫혔다. 유리 너머로 디버깅 요원의 모습을 보였다. 어둑한 콘크리트 작업실의 한가운데에 서 있는 검은 형체. 그는 피페의 모든 움직임을 유심히 관찰하고 있었다.

피페는 그의 시선을 애써 떨쳐내며 연단 위로 올랐다. 동그란 소파에 몸을 누이자 상상큐브 정가운데에 매달려 있던 행복 파장 수집기가 천천히 내려왔다. 둥근 고리 모양의 하얀 머리띠에는 여덟 가닥의 전선이 달려 있었는데, 이들은 큐브의 위편에 달린 금속 나팔관에 연결된 선으로, 피페의 SEND 파동을 증폭시켜 이온화된 수소와 산소 원자들에게로 전달해 주었다.

그렇게 H^a 원소 합성이 완료된 후에는, 출력기의 구체 위에 설치된 철제 고깔, 냉각기가 가동되었다. 냉각기에서는 뿜어져 나오는 영하 300도 남짓의 액체 질소는 H^a 원자를 일순간에 암석처럼 단단하게 얼려 오로라 얼음을 완성했다. 완성된 오로라 얼음은 벽에 설치된 관을 통해 중앙 창고로 이송되었는데, 그곳에서 간단한 선별과 재단 작업을 마친 후 필요한 곳으로 배달되었다.

피페는 SEND 파동 수집기를 머리에 쓰고서 오로라 얼음이 놓인 쟁반을 흘긋 바라보았다. 최근 들어 꿈을 시작하기 전, 오로라 얼음을 먹는 걸 최대한 피해 왔던 그녀였다. 오로라 얼음은 여전히 선명한 상상을 가능하게 해 주었지만, 또렷하게 펼쳐지는 이미지들은 피페에게 오히려 독이 되었다. 꿈이 현실과 가까울수록 그의 모습도 진짜처럼 느껴졌기 때문이었다.

오로라 얼음을 앞에 두고 그녀는 잠시 망설였다. 밖에 서 있는 디버깅 요원은 그런 그녀의 모든 일거수일투족을 유심히 바라보고 있었다. 어차피 일주일밖에 안 지났잖아. 피페는 다시금 주문을 외었다. 오늘 꿈 몸살이 터질 일은 없을 거야. 피페는 단호한 손길로 철제 집게를 들어 작고 하얀 얼음 하나를 입 안으로 던져 넣었다.

혓바닥 위로 동그랗고 차가운 덩어리가 굴러 들어왔다. 동그란 얼음이 입 안 점막에 닿자마자 입술 사이로 하얀색의 연기가 폴폴 새어 나왔다. 입이 급속도로 건조해지는 걸 느끼며 피페는 눈을 감았다. 깊게 심호흡하며 집중했다. 뇌 안의 근육들이 꿈틀거리기 시작했다. 피페는 몽실몽실한 구름이 손끝에서 맴도는 것을 상상했다. 보드라운 솜털이 손가락을 간질이는 걸 느꼈다. 낮게 떠다니는 구름을 만지작거리던 그녀는 곧 자리에서 일어났다. 발아래로 펼쳐진 넓은 구름의 초원. 끝 모르게 펼쳐지는 구름의 계곡. 피페는 팔을 양옆으로 넓게 펼치고서 한없이 늘어선 구름을 향해 몸을 던졌다. 그녀는 직선을 그리며 활강했다.

사방에서 포근한 감각이 몸을 감쌌다. 또 한 번의 시작이었다.

···

박수 소리에 눈을 떴다. 피페는 어느덧 무대 뒤편에 서 있었다. 분주한 사람들의 소리가 들렸다. 그들은 손에 들고 있는 작은 기기를 통해 서로에게 끝없이 메시지를 전송했다. 가끔은 다급한 손짓으로 서로에게 수신호를 보내기도 했다.

주변의 소음을 뒤로한 채 무대 저편을 내다 보았다. 커튼 틈으로 넓은 무대가 보였다. 무대 한가운데에는 등받이가 높은 두 개의 노란색 고급 소파가 서로를 마주 보며 비스듬히 서 있었고, 그 사이로는 검은색 다이아몬드 탁자가 놓여 있었다. 탁자 한가운데에는 붉은색 꽃 한 송이가 꽂힌 짙은 남색 꽃병이 있었고, 그 주변으로는 큐 카드들이 어지럽게 널려 있었다.

탁자 위로 큐 카드가 하나 툭 떨어졌다. 왼편의 소파에 앉아 있던 사람이 던진 것이었다. 그는 팔꿈치를 의자에 올려놓은 채 손을 자유분방하게 움직이며 무언가를 이야기하고 있었다. 곧 관객석에서 웃음이 터져 나왔다. 피페는 고개를 들어 무대 너머로 시선을 옮겼다. 검은 어둠 사이로 보이는 객석. 환한 조명 때문에 잘 보이지는 않았지만, 피페는 그곳에 수많은 사람이 있다는 걸 알았다. 심장이 쿵쾅거리며 뛰기 시작했다. 그때 누군가 피페의 어깨를 건드렸다.

3분 후에 나가셔야 해요. 준비하세요.

전해지는 수신호. 피페는 알겠다며 고개를 끄덕이고는 커튼 사이로 무대를 다시 한번 확인했다. 손을 현란하게 움직이며 관객에게 무언가를 끊임없이 떠들어 대는 진행자의 뒷모습을 응시했다. 익숙한 삼 층 높이의 극장. 그곳은 십 년 전 어느 날, 부낭의 강연을 들었던 무대와 완벽하게 같은 모습이었다.

어렵게 구한 표였다. 몇십 년 만에 열린 부낭의 공개 강연은 시작과 동시에 매진되었다. 어느 순간부터 사람들 앞에 모습을 드러내지 않던 그였다. 그런 부낭이 몇십 년 만에 강연을 재개했으니, 수많은 사람들이 몰려든 건 당연한 일이었다.

피페는 순식간에 날아가는 자리 중 가까스로 한 좌석을 손에 넣었다. 엄청난 경쟁률을 뚫고 표를 손에 얻은 그녀는 쾌재를 불렀다. 당시 입사한 지 열흘밖에 되지 않았던 그녀는 오로라 제작소가 무조건 옳다고 믿고 있었다. 그래서 그녀는 부낭 박사의 강연이 무척이나 기대가 되었다. 오로라 제작소를 처음 건립한 사람의 실제 목소리를 들을 수 있다는 사실에 가슴이 뛰었다.

삼 층의 맨 끝 자리였지만, 다행히 커다란 화면과 성능 좋은 스피커가 있어 피페는 무대를 직관하듯 볼 수 있었다. 강연이 시작되자 진행자는 통상적인 말들을 늘어놓은 후, 부낭 박사를 관객에게 소개했다.

"부낭입니다, 여러분!"

진행자가 크게 소리치자, 사람들은 일제히 일어나 박수치며 환호했다. 그들 안에는 피페도 있었다. 그녀는 두 손을 부서지라 맞부딪치며, 기쁜 얼굴로 그를 맞이했다.

드디어 화면에 잡힌 그의 얼굴. 피페는 처음으로 마주한 그의 실물에 까무러치게 놀랐다. 자신이 알던 부낭 박사의 모습과 그의 실제 모습이 완벽하게 달라서였다. 피페는 그때까지만 해도 작업실 복도에 걸려 있는 그의 사진이 진짜라고 믿었다. 과거 방송에서 보았던 중년의 그가 시간이 흘러 노인이 되면 분명 이런 모습이겠거니 생각했다. 자애로운 미소를 지으며 이지적인 눈빛으로 부드럽게 늙어가는, 그런 멋있고 지혜로운 노인이 되었을 거라 상상했었다. 하지만 무대에 등장한 그의 모습은 피페의 예상을 완벽하게 빗나갔다. 머리는 몇 가닥 남지 않은 채 전부 벗겨져 버렸고, 피부는 심술 맞게 주름져 있었으며, 곳곳에는 쥐젖과 검버섯이 피어올라 있었다. 그의 얼굴에는 예민하고 불안하며 위태로운 눈빛만이 가득했다.

왜 낯선데 익숙하지.

어딘가에서 본 것만 같은 얼굴. 한 번 만난 사람을 쉽게 잊지 않는 피페는, 기억을 더듬어 그를 어디에서 만났는지를 생각해 냈다.

"아!"

입술 사이로 짧은 단말마가 새어 나왔다. 오로라 제작소 입사 첫날 마주했던, 백발이 성성한 노인. 부낭은 그와 꼭 같은 모습을 하고 있었다. 피페는 머리를 세게 쳤다. 왜 좀 더 빨리 그를 알아보지 못 했느냐고 스스로를 탓했다. 같이 사진이라도 찍거나 서명이라도 받아놓을 걸 그랬다며 후회했다.

하지만 강연을 들으며 그녀는 오히려 그러지 않았음에 안도했다. 그날의 강연은 실망의 연속이었다. 시작은 부낭의 발음이었다. 피페는 아무리 귀를 기울여도 부낭의 말을 제대로 알아들을 수가 없었다. 뭉그러진 발음으로 더듬더듬 이어 나가는 그의 말은 웅얼거리는 메아리가 되어 관객석 사이에 울려 퍼졌다. 하지만 그때까지만 해도 피페는 그를 안타까운 눈으로 바라보았다. 고된 삶의 끝에서 가까스로 말하려 하는 그의 모습을 보며 감동적이라고 생각하기까지 했다.

그러나 그 마음은 확성기 로봇이 들어서며 조금씩 어긋나기 시작했다. 부낭의 애처로운 발음을 보다 못한 진행자는 결국 그에게 마이크를 대신할 음성교정 확성기를 건네주었다. 음성교정 확성기는 마이크처럼 생긴 로봇으로, 부낭처럼 발음이 온전치 못하거나 목소리를 잘 낼 수 없는 사람들을 위해 고안된 기기였다. 일반적으로 소통에 큰 도움을 주는 로봇이었지만, 그날 부낭이 쥐고 있던 로봇은 자꾸만 오류를 일으켰다. 기기는 부낭의 말을 매번 엉망으로 전달했다. '인간의 존엄성'을 '인강이 졸리다'라고 말하는가 하면, '철학적인 과제'가 '철분 많은 가재'로

변하기도 했다. 말이 거의 다 엉터리였던지라 소리를 듣지 않은 채 화면에 띄워진 자료를 읽는 편이 나았다.

그렇다고 자료가 유익한 것도 아니었다. 한 시간 남짓한 강연 중 새로운 이야기는 하나도 없었다. 뉴스나 방송에서 되풀이되는 가벼운 이슈들이 대부분이었고, 그마저도 이슈를 그저 단순히 언급하고 넘어가는 식이었다. 명망 있는 박사의 깊이 있는 성찰이나 날카로운 분석은 단 한 줄도 없었다. 유명 석학의 혜안을 기대하고 왔던 피페는 적잖이 실망했다. 자료가 한 장씩 넘어갈 때마다 괜히 왔다라는 생각이 들었다. 이런 내용만 계속될 줄 알았더라면, 그녀는 절대 그 먼 거리를 힘들여 달려오지 않았을 것이다.

하지만 삼 층의 객석을 메운 수많은 사람 중, 피페와 같은 생각을 하는 사람은 하나도 없어 보였다. 그 누구도 피페처럼 눈을 굴리지 않았으며, 시계를 보거나 하품하지도 않았다. 그들은 발음교정 로봇이 전달을 잘못해도, 자료가 얄팍해도, 심지어 부낭 박사가 진행자의 질문을 무시한 채 대충 얼버무리며 넘어가도, 표정 하나 바뀌지 않은 채 그에게 집중했다. 부낭의 말을 전부 머리에 새길 것처럼 그를 뚫어져라 쳐다보며, 가끔씩 고개를 끄덕였고, 감탄사를 내뱉기도 했다.

"중요한 건 파멸이 아닌 공생입니다. 인간은 비인간과 함께할 수 있어요. 모두는 각자의 가치로 연대해야 합니다."

그의 강연은 그렇게 끝이 났다. 부낭과 진행자는 자리에서 일어났고, 관객들도 하나둘씩 그들과 함께했다. 삼 층 높이의 강연장을 가득 채운 사람들은 기립 박수로 부낭을 배웅했다. 사람과 로봇의 부축을 동시에 받으며 쓰러질 듯 발을 내딛는 노인. 그의 뒷모습이 사라질 때까지 자리에 앉는 사람은 없었다.

피페는 그날 두 가지 중요한 사실을 깨달았다. 하나는 관중이 의외로 시야가 좁다는 것이었고, 다른 하나는 그녀가 관중을 좋아한다는 사실이었다. 객석의 사람들은 부낭이 어떤 모습이었는지, 어떤 말을 하는지에 크게 관심이 없었다. 그가 발음을 잘하든 못하든, 지겨우리만치 단순한 내용을 계속 늘어놓든 상관하지 않았다. 중요한 건 말이 아닌 사람이었다. 부낭의 말은 부낭이 한 말이기 때문에 가치가 있었다. 사람들은 그의 말에서 어떻게든 의미를 찾았고, 그렇기에 그의 말이 실제로 어떠한 내용을 담고 있는지는 그다지 중요하지 않았다. 그는 부낭이었고, 그건 다른 모든 걸 덮어버렸다. 무엇이 아니라, 누가 중요하다는 사실. 그날 처음 알게 된 세상의 규칙은 묘하고도 낯설었다. 하지만 동시에 매력적이기도 했다. 가지고 싶을 만큼.

환호하는 객석의 사람들을 보며, 부낭의 관중을 자신의 관중으로 만들고 싶다는 충동이 일었다. 존재만으로도 가치가 증명되는 사람. 피페는 그런 사람이 되고 싶었다. 그녀는 부낭과 같은 시선으로 세상을 보고 싶었다. 삼 층을 꽉 채운 관객들을 마주하고, 아무 말을 해도 환호를 받으며, 무대에서 사라지는 순간까지 박수를 받고 싶었다. 그녀는 무대 위 부낭이 되고 싶었다.

그리고 그날의 기억은 오늘의 꿈을 만들었다. 피페 앞에 펼쳐진 삼 층 높이의 극장은 그날 부낭이 섰던 장소와 완벽하게 같은 곳이었다. 하지만 그녀의 무대는 강연이 아닌 토크쇼였다. 은퇴한 오로라 제작자들을 번갈아 초대해 행복이란 무엇인지를 논하는 방송. 지루한 주제를 유쾌하게 진행해 유명세를 얻은 프로그램이었다.

정년을 꽉 채운 오로라 제작자. 마의 5년을 몇 번이나 넘기며 정년의 나이에 은퇴하는 오로라 제작자는 매우 희소했다. 그래서인지 오로라 제작소는 여러 토크쇼와 다큐멘터리를 통해 그들의 삶을 적극적으로 세상에 공개했다. 오로라 제작소는 그들을 통해 자신의 사회적 얼굴을 만들고 싶어 했다. 그래서 그들의 삶을 최대한 윤택하고 평화롭게 포장했고, 그렇게 방송을 탄 이들은 금세 유명인이 되었다. 은퇴한 오로라 제작자의 명성이 쌓여 갈수록 오로라 제작소의 이미지 또한 좋아졌다. 사람들은 점점 더 오로라 제작소를 인간 노동의 가치를 중요시하며, 한 번 고용한 이들을 끝까지 책임지는, 믿음직한 회사라고 철석같이 믿게 되었다.

오로라 제작소는 자신을 도운 이들에게 반드시 섭섭지 않게 보답했다. 방송에 한 번 나갈 때마다 은퇴자는 오로라 제작자 시절에 받았던 월급과 같은 액수의 돈을 받았다. 방송에 더 많이 나가면 나갈수록, 그들의 통장 잔고는 두둑해졌다. 명예와

존경심, 부러움의 시선들은 거액의 돈과 함께 딸려 오는 보너스였다. 그래서 은퇴자들은 방송이 오로라 제작소의 농간임을 알면서도 침묵했다. 그들은 마침내 다가온 승리의 순간을 차마 거부할 수 없었다. 만들어진 꿈속에서의 성공이 아닌, 진짜 현실에서 맛보는 성공. 그건 무엇과도 바꿀 수 없는 짜릿함이었다. 그래서 그들은 더욱더 오로라 제작소의 현실을 함구했다. 5년을 채우지 못하고 떨려난 오로라 제작자들이 대부분이었음에도, 그들 중 절반 이상이 미친 채로 병동에 갇혀 짧은 생을 마감한다는 사실을 뻔히 알고 있음에도, 대중은 그들의 이야기를 들을 수 없었다. 아무도 그들에 대한 말을 하지 않기 때문이다. 특별한 오로라 제작자. 성공한 소수. 대중이 보고 들을 수 있는 이야기는 그러한 것들뿐이었고, 그러한 이야기들이 반복되며 오로라 제작소는 더욱 위대해졌다.

피페는 오래전부터 그 위대함의 일부가 되고 싶었지만, 선뜻 자신의 꿈을 인정할 수 없었다. 그녀의 꿈에는 분명 어두운 면이 있었고, 피페는 양심을 팔아가면서까지 자신의 꿈을 밀어붙일 수 없었다. 하지만 오로라의 꿈은 피페 안에 있던 그러한 욕망을 정확히 간파했고, 한 토크쇼를 그녀의 눈앞에 보여주었다. 피페는 그 꿈을 보는 순간 다른 모든 것들을 잊어버렸다. 막연하게 그렸던 위대함의 빛은 다른 모든 걸 가려 버릴 정도로 찬란했다. 바래 왔던 모습을 눈앞에서 정면으로 맞닥뜨린 순간, 그녀는 자신의 성공 말고는 아무것도 생각할 수가 없었다.

"1분이요!"

누군가 그렇게 외치자 피페는 긴장한 표정으로 심호흡했다. 아무 말이나 하면 돼. 아무 말이나 하면 돼. 그녀는 그렇게 중얼거리며 마음을 가다듬었다.

"피페입니다!"

드디어 시작된 피페의 무대. 진행자의 음성과 함께 경쾌한 음악이 들려왔다. 피페를 가로막고 있던 장막이 서서히 걷히며 화려한 조명이 그녀를 비추었다. 진행자는 자리에서 일어나 두 팔을 벌려 피페를 환영했다. 천장에 달린 작은 카메라들과 무대 아래에 줄지어 서 있는 커다란 렌즈들이 일제히 그녀를 향했다.

피페는 환하게 웃었다. 은퇴한 그녀의 육신은 한없이 작아지고, 쪼그라들어 있었다. 치아의 대부분은 인공적으로 만든 것이었고, 목소리도 작아 자주 기계 성대의 도움을 받아야 했다. 하지만 그 사실을 신경 쓰는 사람은 아무도 없었다. 중요한 건 피페였다. 한평생 행복의 물질을 만들었던 사람이 행복에 대해 논한다는 사실. 그 유명한 오로라 제작자를 눈앞에서 볼 수 있다는 경험. 관객에게는 그 사실이 가장 중요했다.

"피페입니다, 여러분!"

진행자는 다시 한번 피페를 호명했다. 피페의 느린 걸음 때문에 만들어진 소리의 공백을 메우기 위함이었다. 그녀는 여전히 무대 한가운데의 소파를 향해 걷고 있었다. 결국 두 대의 휴머노이드 로봇이 그녀에게로 다가와 양쪽에 섰다. 양팔 아래로 팔짱을 끼고서 그녀를 번쩍 들어 소파 앞에 내려놓았다. 마침내 피페가 무대 중앙에 서자, 진행자는 그녀를 세게 끌어당겨 품에 안았다.

우레와 같은 함성이 들렸다. 피페는 고개를 들어 소리가 나는 방향을 보았다. 폭포수 같은 사람들의 무리가 눈앞에 펼쳐졌다. 삼 층 높이의 관객석. 사람들은 그 드넓은 공간을 빈틈없이 꽉 꽉 채우고 있었다. 오로지 피페를 보기 위해, 그녀의 음성을 듣기 위해 모인 사람들이었다. 피페는 잠시 멈추어 서서 그들을 바라보았다. 거대한 사람의 물결을 마주할 때면 그녀는 언제나 한없이 벅차올랐다. 피페가 수줍게 미소 짓자 사람들은 그녀를 따라 웃었다. 환한 조명에 가려 그들의 얼굴이 제대로 보이지 않았지만, 피페는 그들이 웃고 있다는 걸 알았다.

토크쇼는 매번 똑같은 모습으로 진행되었다. 진행자는 질문을 했고, 피페는 그때그때 생각나는 아무 말들을 피상적이고 추상적으로 대충 얽어서 늘어놓았다.

"행복은 삶의 가장 중요한 핵심이에요. 행복한 사람만이 진정한 삶의 가치를 알고 있을 테니까요. 행복하기 위해서는 사소한 것을 보는 마음가짐이 필요하죠. 작은 것에 행복할 줄 알아야 큰 것에 행복을 느낄 수 있으니까요."

하지만 어떠한 말을 하든 사람들은 그녀의 한 마디 한 마디에 귀를 기울였고, 깊이 고개를 끄덕였고, 가끔 감탄사를 내뱉었다. 피페는 정말 아무 말이나 하고 있었지만, 그걸 눈치챈 관객은 하나도 없었다. 은퇴한 오로라 제작자 피페. 그녀는 이미 그 독보적인 특별함으로 눈이 부실 정도로 빛나고 있었고, 그 빛은 다른 모든 그림자를 손쉽게 가려 주었다.

"값진 이야기를 들려주셔서 감사합니다. 정말로 유익한 시간이었어요. 저 자신에 대해 돌아보는 기회가 되기도 했고요."

진행자의 말을 끝으로 두 시간 남짓한 대담이 끝났다. 피페와 진행자는 자리에서 일어나 정중하게 악수를 주고받았다. 동시에 이곳저곳에서 플래시가 터져 나왔다. 피페는 눈 부신 빛 속에서 끝까지 웃음을 잃지 않았다. 강렬한 빛에 눈이 아려 올수록 자신의 가치를 증명받는 기분이었다. 그녀는 특별한 사람이었다. 모든 이들이 입을 모아 칭송하는, 아주 특별한 사람이었다.

그렇게 한참을 카메라 세례를 받던 중, 관중석에서 누군가 손을 들었다. 피페는 사람들 사이로 떠오르는 그의 손을 무시한 채 고개를 돌렸다.

"잠깐만요! 질문이 있습니다!"

하지만 그는 포기할 줄을 몰랐다. 저 멀리서 들려오는 남자의 목소리에 탁자를 정리하던 진행자가 고개를 들었다.

"질문이 있습니다. 피페! 질문이 있습니다!"

남자는 피페가 자신을 봐줄 때까지 멈추지 않을 기세로 그녀를 불렀다. 진행자는 피페와 남자를 번갈아 보았다. 자신이 나서야 할지 그러지 말아야 할지를 고민 중인 얼굴이었다. 다른 스텝들도 모두 같은 생각을 하는 것 같았다.

"피페!"

그가 다시 버럭 소리를 질렀다. 조금 전과는 다른 신경질적인 톤이었다. 진행자의 표정이 굳어졌다. 그녀는 잔뜩 긴장한 표정으로 주변에 손짓했다. 곁에 있던 로봇들이 여차하면 달려 나갈 것처럼 자세를 바꾸었다.

그 모습을 본 피페가 손을 들어 주변을 안정시켰다. 인자한 웃음을 지으며 무대 가운데에 놓인 스탠드 마이크를 향해 걸었다. 공기 중에는 적막만이 흐르고 있었다. 모든 사람들과 로봇들의 시선이 피페에게로 집중되었다. 그녀는 최대한 온화한 미소를 잃지 않으려고 애를 쓰며 마이크에 입을 가져다 댔다.

"무슨 일이죠?"

피페의 말이 채 끝나기도 전에 그가 소리쳤다.

"질문이 있습니다!"
"어떤 질문인가요?"

그는 한 치의 망설임도 없이 다음 말을 내뱉었다.

"고작 그것뿐입니까?"

잠깐의 정적.
피페는 침착하게 그의 다음 말을 기다렸지만, 그건 질문의 전부였다.

"고작 그것뿐이냐니 무슨 말씀이시죠?"
"질문 그대로입니다. 고작 그것뿐인가요?"
"고작 그것뿐이라니 어떤 걸 말씀하시는 건가요?"
"오늘을 이루었던 모든 것들이요. 모든 일과 모든 시간과 모든 사건들이요."

남자는 강한 어조로 덧붙였다.

"고작 그것뿐입니까, 피페? 당신은 정말 그것뿐입니까?"

'고작', 그 간결한 단어는 섬뜩한 칼날이 되어 그녀를 세로로 베었다. 눈앞이 아득해졌다. 순식간에 발가벗겨진 기분. 수치스러울 정도로 낱낱이 해부되어 관중들 앞에 펼쳐진 것만 같은 기분이었다.

같은 질문이 반복되자 사람들이 술렁이기 시작했다. 무언가를 곱씹는 듯한 얼굴로 고개를 갸우뚱거리는 이들도 있었다. 조금 전까지만 해도 피페를 향해 찬사를 보내던 그들은 이제 얼굴을 일그러트리며 수군대고 있었다. 삽시간에 번지는 그들의 의구심을, 피페는 차마 감당할 수가 없었다. 머리가 어지러웠다. 스탠드 마이크에 몸을 의지하려 했지만, 단단했던 철제 기둥은 어느새 가루가 되어 손가락 사이로 바스러져 버렸다. 다리에 힘이 풀리며 휘청였다. 온 세상이 휘어지며, 그녀를 향해 무너져 내렸다. 눈앞에 관중들이 보였다. 그들은 일제히 그녀를 향해 등을 보이고 서 있었다. 아악! 피페는 저도 모르게 비명을 질렀다. 다시금 남자의 음성이 메아리쳤다. 고작 그것뿐입니까? 고작 그것뿐이에요? 매서운 목소리가 귀를 후벼팠다. 피페는 두 귀를 감싸 쥐었다. 무릎을 가슴팍에 가져다 댄 채 몸을 웅크렸다. 몸이 중심을 잃고 고꾸라졌다. 단단한 무대 바닥과 정면으로 충돌했다.

충격은 거칠게 피페를 뒤흔들었다. 그녀의 주변에서 거대한 회오리가 시작되었다. 거센 바람이 일자 천장에 매달린 조명들이 위태롭게 나부꼈다. 삐거덕거리던 핀 조명 하나가 큰 소리를 내며 피페를 향해 곤두박질쳤다. 허공을 가로지르던 고철 덩어리는 곧 그녀의 관자놀이를 강타했다. 눈앞이 일순간에 컴컴해지며, 피페는 정신을 잃었다.

...

심상치 않긴 했다. 상상 큐브 안에 들어가는 피페의 표정은 처음부터 경직되어 있었다. 디버깅 요원은 잠시 그녀를 말려야 하나 망설였지만, 굳이 그러진 않았다. 그건 피페에게도, 자신에게도 득이 되지 않는 선택이었다. 그래서 그는 피페가 원 없이 자신의 변론을 펼치도록 내버려 두었다. 어차피 오늘 면담의 결과는 정해져 있었지만, 그는 피페가 적어도 후회 없이 그 결과를 받아들이길 바랐다.

피페가 모르는 게 하나 있었다면, 디버깅 요원은 오로라 제작자를 평가하는 사람이 아닌, 편지 배달부라는 사실이었다. 오늘 아침 그는 관리자 부아에게 파일을 하나 전송받았다. 보고서에는 피페가 정신적으로 대단히 심각한 상태라고 적혀 있었고, 그는 면담의 끝에서 그 말을 피페에게 그대로 읊어 줄 예정이었다. 어쩌면 '비고'란에 적힌 대로 이대로 계속 고집을 부리다가는 정말 큰일이 날 거라며 마음에도 없는 화를 낼 수도 있었다. 그건 그가 하루에도 몇 번씩 겪는 일상적인 면담이었다. 두 시간 남짓한 시간을 의미 없는 대화로 채우고, 정신을 감정하는 척하다가 정해진 결과를 읊어 주는 것. 그건 어떠한 오로라 제작자도 알지 못하는 디버깅 요원의 진짜 모습이었다.

그렇게 피페의 작업실에 도착한 그가 또 한 번 마음에도 없는 연기를 행하던 찰나, 피페는 갑자기 솔깃한 제안을 해 왔다. 면담을 하는 대신 오로라 얼음을 만들어 보이겠다는 제안. 그는 잠시 망설였지만, 금세 제안을 수락했다. 마치 기다려왔다는 듯이.

피페가 상상큐브에 들어가자 디버깅 요원은 스캐너의 위치를 피페에게 맞추어 조정했다. 휴대용 카메라처럼 생긴 그것은 최근 디버깅 요원들에게 배급된 정신 감정 스캐너였다. 오로라 제작자의 표정과 행동, 뇌파와 신경의 움직임을 감지하여 그들의 정신 상태를 분석하도록 만들어진 기기. 그건 관리자의 보고서를 교차 검증하기 위한 수단이었다. 얼마 전 오로라 제작소는 악의적인 마음을 가진 몇몇 관리자들이 아직 일할 수 있는 오로라 제작자들을 멋대로 퇴출시켰다는 사실을 알아냈다. 아직 오로라 얼음을 만들 수 있는 제작자는 오로라 제작소의 귀중한 자산이었고, 그들은 가치가 남아있는 자산을 멋대로 내버린 관리자들에게 분노했다. 그 일이 있고난 후, 오로라 제작소는 비밀리에 스캐너를 디버깅 요원들에게 전달했다. 관리자가 아직 가치 있는 제작소의 자산을 함부로 버리려고 한 건 아닌지를 검토하기 위함이었다.

하지만 피폐를 담당한 디버깅 요원은 얼마 전 한 면담 자리에서 스캐너에 숨겨진 기능이 하나 더 있다는 사실을 알게 되었다. 그날의 면담자는 현실과 꿈을 구분하지 못한 채 정신이 오락가락하는 사람이었는데, 그는 면담하는 내내 말이 안 되는 독백을 늘어놓으며 꿈을 거닐었다. 그렇게 얼마를 떠들었을까. 그는 문득 꿈에서 깨어나 자신이 현실에 있다는 사실을 인지했고, 그 사실을 깨닫자마자 오로라 제작기 속으로 뛰어들었다. 꿈이 아닌 곳에서는 도저히 살아갈 수 없다는 게 이유였다. 디버깅 요원은 곧장 중앙관리실에 긴급 연락을 취했고, 비상사태를 처리할 보조원들이 오는 동안 짐을 정리하기 위해 스캐너와 전자패드를 집어 들었다.

스캐너가 기록하는 꿈을 보게 된 건 바로 그때였다. 스캐너 프로그램을 막 종료하려 할 때, 그는 여전히 전자패드에 무언가가 적히고 있는 걸 보게 되었다. 이상한 일이었다. 이론상으로 스캐너는 꿈을 읽을 수 없었다. 근육과 신경의 움직임, 뇌파 상태를 바탕으로 감정을 파악하는 기기가 미동도 없이 꿈에 빠져든 이들의 생각까지 읽을 수는 없는 노릇이었기 때문이다. 하지만 그날 그가 보았던 스캐너는 단순한 감정 이상의 것들을 읽어냈다. 스캐너는 꿈에 잠긴 오로라 제작자의 머릿속에 떠오른 장면들을 그대로 받아적었다. 오로라 제작기 안에서 펼쳐지고 있는 오로라의 꿈. 제트기 파일럿의 하루. 누군가의 꿈을 그토록 세세한 언어로 읽어 본 건 그날이 처음이었다.

디버깅 요원은 그날부터 면담 중에 오로라 제작자가 제작기로 들어가길 은근히 바라 왔다. 누군가의 꿈을 읽을 수 있는 것도 흥미로웠지만, 그보다는 자신이 그날 보았던 기나긴 글이 진정 누군가의 꿈이 맞는지를 확인하기 위함이었다. 스캐너가 정말 꿈을 읽을 수 있다면, 어쩌면 오로라가 만들어내는 꿈의 패턴을 분석할 수 있을지도 몰랐다. 오로라의 꿈이 어떠한 방식으로 작동하는지를 밝혀내, 그게 얼마나 인간에게 해로운지를 마침내 명백하게 증명해 보일 수 있을지도 몰랐다.

하지만 그러기 위해서는 먼저 스캐너가 오로라의 꿈을 정확히 읽을 수 있는지를 확인해야 했다. 그러려면 오로라 얼음 제작기 안에서 꿈을 꾸는 중인 오로라 제작자가 필요했고, 디버깅 요원의 신분으로 그런 사람을 만나기란 쉽지 않은 일이었다. 그렇다고 아무 작업실 문이나 벌컥 열고 들어가서 스캐너를 들이밀 수는 없는 노릇이었기에, 그는 면담 중에 꿈을 꾸길 원하는 오로라 제작자가 나타나기를 기다렸다.

그러던 중, 피페가 나타난 것이었다. 디버깅 요원은 피페의 제안을 듣자마자 바로 수락하고 싶었지만, 자신의 신분을 고려해 잠시 고민하는 척을 했다. 잠시 뜸을 들이며 피페가 충분히 안절부절못하는 모습을 본 후에야 그렇게 하자고 답했다. 하지만 그의 심장은 말과 달리 빠르게 뛰고 있었다. 또 한 번 누군가의 꿈을 볼 수 있는 기회. 정말 오래도록 기다려 온 순간이었다.

디버깅 요원은 스캐너의 위치를 조정하고서 의자에 앉아 꿈을 유영하는 피페를 지켜보았다. 유리 구체 안에서는 이미 H^a 원자들의 합성이 시작되고 있었다. 피페의 꿈은 이제 막 시작되었을 뿐이었지만, 그녀의 SEND 파동은 여태 보았던 어떠한 제작자들보다 강력했다. 그녀의 오로라 또한 마찬가지였다. 십 년 동안 오로라 제작자를 했다더니, 괜한 말이 아니군. 이토록 선명한 오로라를 보는 건 처음이야. 디버깅 요원은 그렇게 중얼대며 유리 구체에서 피어나는 H^a 원자들을 멍하니 바라보았다.

H^a 원자들은 곳곳에서 반짝이는 별처럼 빛나고 있었다. 작은 보라색 점들은 곧 피페의 SEND 파동 속도에 맞추어 박동하며 몸집을 불려 나갔다. 붉은색과 노란색, 녹색의 빛을 번갈아 내

보이던 그들은 점차 오색찬란한 빛을 틔우며 중앙으로 몰려들었다. 유리 구체를 가득 채운 화려한 성운. H^a 원자의 군집. 오로라의 구름. 디버깅 요원은 입을 벌린 채로, 거대한 빛의 구름이 자줏빛에서 보라색으로 물들어 가는 과정을 지켜보았다. 곧이어 새하얀 빛을 띤 얇은 막이 구름을 감쌌다. 냉각기에서 분사된 냉매의 영향으로 오로라 얼음의 틀을 만들어지는 중이었다. 희미하게 탁한 얼음의 표면은 오로라에 신비함을 더했다.

확실히 환상적으로 아름답긴 하네.

디버깅 요원은 저도 모르게 그렇게 생각했다. 생에 처음 마주한 날것의 오로라. 그 빛을 보며 그는 왜 온 세상이 저 거대한 무생물 덩어리를 손에 넣기 위해 눈이 뒤집히는지를 알 것만 같았다. 오로라 얼음이 세상에서 사라져야 한다고 굳게 믿는 그조차도 오로라의 황홀한 아름다움을 만끽하는 이 시간이 영원히 끝나지 않았으면 좋겠다고 생각할 정도였으니. 오로라의 빛에는 확실히 사람을 현혹하는 무언가가 있었다.

눈이 부시도록 강렬한 오로라에 스캐너를 확인하는 일은 어느새 뒷전이 되어 있었다. 그는 전자패드에 무언가가 적히고 있다는 사실만 확인한 후, 곧장 화면을 꺼 버렸다. 전자패드에서 쏟아져 나오는 불빛이 오로라를 감상하는 데 방해가 되었기 때문이었다. 어차피 클라우드에 업데이트되고 있을 테니 나중에 읽지 뭐. 그는 그렇게 중얼거리며 다시 오로라 구름으로 시선을 돌렸다.

그렇게 얼마쯤 오로라에 취해 있었을까, 유리 구체안의 오로라가 갑자기 미친 듯이 출렁이기 시작했다. 보라색의 빛 구름 사이에서 작은 불씨들이 피어올랐다. 산발적으로 빛을 틔우던 불씨 중 하나가 작게 펑 하는 소리를 내며 폭발했다. 작은 불씨들이 동시다발적으로 터지며 보라색 안개구름을 은빛으로 물들였다. 곧 화려한 불꽃놀이가 시작되었다. 삽시간에 번지는 불꽃을 보며 디버깅 요원은 문득 정신이 들었다.

좋지 않은 징조야. 정말 좋지 않은 징조야.

오로라 제작에 대해 아무것도 모르는 그조차도 눈치챌 수 있었다. 이건 분명 정상적이지 않은 상황이었다. 사방으로 흩어져 나가던 불똥들은 이제 유리 구체의 표면으로 달려들었다. 거대한 유리 구체는 가장자리부터 금기 가기 시작했다. 천장에 매달린 철제 고깔에서 삐거덕거리는 소리가 들렸다. 유리 구체와 고깔과 접합된 부분의 나사가 뒤틀리며 내는 소리였다.

디버깅 요원은 다급하게 상상 큐브를 확인했다. 상상 큐브 안의 피페는 심하게 경련하고 있었다. 두 귀를 감싸 쥐고 몸을 한껏 웅크린 채 괴로운 듯 몸을 비틀었다. 휘청이던 고개가 갑자기 뒤로 젖혀졌다. 그녀는 곧 힘없이 쿠션에서 굴러떨어졌다.

"피페! 피페, 괜찮아요?"

문을 향해 달렸다. 유리문을 미친 듯이 강타하며 그녀를 불렀다. 하지만 피페는 이마를 바닥에 댄 채로 미동도 하지 않았다. 무언가 크게 잘못되었다는 직감이 들었다.

애초에 상상 큐브로 밀어 넣어선 안 되는 거였어. 바보같이.

피페 머리 위에 얹어진 SEND 파동 수집기에서 붉은빛이 번쩍였다. 그때마다 피페의 몸이 전기충격을 받은 것처럼 미약하게 펄떡였다. 파동 수집기가 피페의 생사를 확인하기 위해 그녀의 몸에 가벼운 전류를 흘려보낸 것이었다.

디버깅 요원은 마스터키를 꺼내 들고서 잠금장치를 연타했다. 상상 큐브의 문이 열리며 동시에 비상벨이 울리기 시작했다. 삐삐삐삐삐삐. 신경을 긁어대는 소리. 엎어져 있던 피페의 몸을 뒤집었다. 그녀는 아무런 저항 없이 바닥 위를 굴렀다. 그녀의 머리에 있는 SEND 파동 수집기를 잡아당겼다. 머리에 꽉 맞게 끼워진 수집기는 좀처럼 벗겨지질 않았다. 좀 빠져라. 제발. 중얼대며 더 세게 잡아당겼다. 방해되는 두꺼운 장갑을 벗어 던졌다. 디버깅 요원 업무 수행 중에 수트를 벗는 건 규정 위반이지만, 지금은 그런 걸 걱정할 틈이 없었다. 온 힘을 다해 수집기를 강제로 분리했다. 부서진 수집기의 파편 중 일부가 피페의 머리칼 사이사이로 흘러 들어갔다.

"피페. 피페. 정신 좀 차려 봐요. 내 말 들려요, 피페? 피페!"

뺨을 때리고 어깨를 흔들었다. 피페는 미약하게 숨을 쉬고 있는 듯했지만, 그마저도 확실치 않았다. 중앙관리실에 비상 알림을 보낸 후, 응급 처치를 위해 그녀를 눕히고 흉부를 강하게 짓누르기 시작했다. 두 번 정도 그녀의 가슴 한복판을 내리눌렀을 때, 머리 위에서 오로라 제작기가 거칠게 들썩이기 시작했다.

금속 나팔관이 당장이라도 고꾸라질 것처럼 이편을 향해 기울어지고 있었다. 상상 큐브의 사방에서 새빨간 빛이 흘러나왔다. 휘청이던 나팔관은 결국 거대한 굉음을 내며 상상큐브와 충돌했고, 유리로 만들어진 상자는 모서리부터 금이 가기 시작했다. 촘촘하게 펼쳐지는 거미줄 같은 실금들이 투명한 유리벽을 타고 순식간에 퍼져나갔다.

안 돼. 안 돼. 안 돼.

지체할 시간이 없었다. 비상 버튼을 다급하게 연타하며 피페의 몸을 들쳐 멨다. 연단에서 내려와 상상큐브의 입구를 지나칠 때쯤, 유리 구체 안에 있던 오로라 구름이 검붉은 화염에 휩싸였다. 솟구치는 뜨거운 기운을 견디다 못한 오로라 제작기가 몸을 부르르 떨며 포효했다. 작업실이 네 벽이 금방이라도 무너져 내릴 것처럼 세차게 흔들렸다.

작업실의 문을 향해 내달렸다. 머릿속에는 온통 이곳을 나가야 한다는 생각뿐이었다. 살아야 한다는 일념뿐이었다. 목을 조여 오던 피페의 두 팔, 팔뚝을 타고 흐르던 진득한 액체. 힘없이 질질 끌리던 그녀의 두 다리, 등 뒤에서 금방이라도 폭발할 것처럼 씩씩대던 오로라 제작기. 그건 피페의 작업실에 대한 마지막 기억이었다.

돌연한 물음

"오로라 얼음을 제작하다 정신을 잃었어요. 오로라 제작기는 열기를 이기지 못하고 폭발했고, 작업실은 바닥부터 천장까지 모조리 타 버렸어요. 불길은 좀 전에 간신히 잠재웠고요. 작업실마다 방화 작업이 꼼꼼히 되어 있던 게 다행이었어요. 그나마 옆 방 제작자들에게 피해는 없었으니."

목소리가 비처럼 쏟아졌다. 의미를 미처 이해하기도 전에 단어들이 귀를 타고 흘러내렸다.

"살아있는 게 기적이에요. 정말 죽은 줄 알았다니까요."

피페는 천천히 눈을 껌벅였다. 따끔합니다. 목소리와 함께 가슴 한복판에서 타는 듯한 통증이 느껴졌다. 입술 사이로 고통스러운 신음이 새어 나왔다.

"정신이 좀 들어요? 좀 아파도 참아요. 쇼크 회복에 이만한 것도 없으니까."

피페는 가쁘게 숨을 몰아쉬었다. 팔 이곳저곳에서 차갑게 쓸리는 감촉이 느껴졌다.

"팔에 상처가 좀 났어요. 심한 건 아니라서 약만 잘 바르면 된 대요. 약은 주머니에 넣어 둘게요."

그는 피페의 바지 주머니에 무언가를 쑤셔 넣었다.

"여기도 상처가 있네요. 이건 언제 생겼지. 피부가 얇아서 작은 마찰에도 쉽게 상처가 나나 봐요. 혹시 집에 가서 다른 상처를 발견하거든 주머니에 넣어 둔 연고를 발라요. 알겠죠?"

피페는 여전히 멍한 얼굴로 천장을 바라보고 있었다.

"오로라 얼음 제작하러 들어갔던 건 기억해요?"

검은색 헬멧이 피페의 시야 안으로 불쑥 들어왔다. 검은 형체를 물끄러미 올려다보던 그녀는 천천히 고개를 끄덕였다.

"좋아요. 정신이 좀 돌아오는 거 같네요. 여긴 공용 휴게실이에요. 좀 급하게 옮겨야 해서 일단 이쪽으로 데리고 왔어요."

디버깅 요원은 쉴새 없이 방 안을 걸어 다니며 물건들을 주워 모았다. 무언가를 바삐 정리하며 바스락거리는 소리가 들렸다.

"지금은 중앙관리실 직원이 작업실 상태를 세세하게 확인하고 있어요, 피페 응급 처치도 간단하게 했고요. SEND 파동 송출에 이상이 생겨서 실신했다 지금 깨어난 거예요. 꿈 몸살 쇼크. 알죠? 예전에도 몇 번 겪어 봤을 테니. 약도 들어갔으니 몸은 곧 괜찮아질 거예요. 그래도 관리자가 다시 한번 상태 확인해 줄 거니까 일단은 좀 쉬고 있어요."

피페는 손가락을 조금씩 꿈틀거렸다. 손 아래로 단단한 휴게실 바닥이 만져졌다. 주변을 살피기 위해 몸을 일으키려 하자, 팔에 찌르는 듯한 통증이 느껴졌다.

"약 기운 퍼질 때까지 잠깐 누워있어요. 금방 일어날 수 있을 거예요."

디버깅 요원이 주사기를 폐기용 비닐에 던져 넣으며 말했다. 검은 헬멧이 다시 시야 안으로 들어왔다. 반사광조차 없는 새까만 헬멧. 디버깅 요원의 모습을 이렇게 가까이에서 본 건 처음이었다.

"피페, 관리자가 오면 다시 이야기할 테지만, 그래도 미리 알려 줄게요. 작업실 상태가 정말 심각해요. 오로라 제작기가 절반 이상 날아가 버렸어요. 복구가 완료될 때까지는 아무도 작업실에 들어가지 못할 거라고 해요. 그리고..."

디버깅 요원은 잠시 망설이다 말을 이었다.

"피페도 아마 출입이 제한될 것 같아요."

흐리멍텅하던 피페의 눈이 삽시간에 커졌다. 그녀의 손가락이 동시에 옴짝거렸다. 그녀는 필사적으로 매끈한 검은 수트를 잡으려 손을 뻗었지만, 손가락에 힘이 없어 자꾸만 미끄러졌다.

"이렇게 놀랄까 봐 미리 이야기해 준 거예요. 쇼크에서 방금 깨어난 사람에게 할 말은 아니지만. 지금밖에 말할 시간이 없었어요. 너무 갑작스러웠다면 미안해요."

피페는 입을 벌리려고 애를 썼다. 이.. 이.. 이.. 가까스로 분절된 소리를 내뱉었다.

"회복제를 주입한 지 얼마 안 되어서 아마 근육들이 많이 경직되어 있을 거예요. 조금만 기다리면 평소대로 돌아올 테니 걱정은 말아요. 곧 관리자가 올 거예요. 혹시 할 말이 있다면 그때..."

피페는 세차게 고개를 저었다. 물론, 겉으로는 그녀의 세찬 고갯짓이 티가 나지 않았다. 기껏해야 목 근육이 움찔거린 정도였다. 하지만 디버깅 요원은 그녀의 미세한 움직임을 알아보았다.

"그때까지 기다릴 수 없는 문제인 거예요? "

피페는 고개를 끄덕였다. 그녀의 턱이 약간씩 위로 튕겨 올라갔고, 앞머리가 조금 흩날렸다.

"알겠어요. 뭐가 그리 급한지는 모르겠지만. 일단 손가락을 움직일 수 있으면 여기에 써 볼래요?"

디버깅 요원은 허리춤에 차고 있던 작은 전자패드를 펼쳤다. 화면에는 키보드 자판이 떠 있었다. 요원은 피페가 글자를 잘 누를 수 있게 손목 밑 부분을 받쳐 주었다. 피페는 눈을 가늘게 뜨고서, 천천히 손을 움직였다. 손끝이 파르르 떨리며 글자들을 눌렀다. ㅈ, ㅣ, ㅇ, ㄱ, ㅖ

"아. 아마 그럴 거예요."

피페가 쓰는 걸 끝마치기도 전에 디버깅 요원이 답했다. 피페의 앞가슴이 가쁘게 움직였다. 호흡도 조금씩 빨라졌다.

"징계위원회는 열릴 거예요. 피하기가 어려울 정도로 문제가 커요. 정말 위험했다고요. 제가 있었기에 망정이지. 만약 아무도 없었다면 피페는 정말 큰일 났을 겁니다."

디버깅 요원이 화면에 뜬 글자들을 지우는 동안, 피페는 힘들게 입을 움직이며 '어, 아, 어, 아' 소리를 반복했다. 입 근육과 신경에 힘이 들어갈 때마다 발음이 조금씩 부드러워졌다.

"여전히 할 말이 남았나요?"

디버깅 요원이 조금 귀찮은 듯 물었다. 피페는 고개를 끄덕이며 입을 옹알거렸다. 디버깅 요원은 다시 전자패드를 피페 앞으로 가져갔다. 피페는 손가락을 움직여 타자를 쳤다. 아까보다는 속도가 조금 빨라져 있었다. 피페가 타이핑을 끝내자 디버깅 요원은 한동안 말없이 화면을 바라보았다. 그가 답이 없자, 피페는 고개를 들어 검은 헬멧을 올려다보았다. 하지만 디버깅 요원은 그런 그녀가 보이지 않는다는 듯, 화면에 뜬 글자들에만 시선을 고정했다.

나 버려지는 건가요?

한참 동안 화면을 내려다보던 디버깅 요원은 갑자기 전자패드를 껐다.

"대화는 여기까지 하죠."

피페는 다급한 손길로 디버깅 요원의 손목을 잡았다. 쇼크에서 방금 깨어난 사람이라고 믿기 힘들 만큼 강한 힘이었다. 디버깅 요원은 하는 수 없이 피페를 돌아보았다. 간절한 그녀의 두 눈. 디버깅 요원은 결국 피페 곁에 다시 주저앉고 말았다.

"나... 나..."

피페의 목소리가 조금씩 돌아오고 있었다.

"모릅니다. 나도 몰라요. 작업실 상태는 좀 문제가 될 거 같긴 한데, 지금 보니 정신은 멀쩡한 것 같네요. 몸이 그 꼴이 되고서도 별걱정을 다 하는 걸 보면."

하지만 피페는 대답이 만족스럽지 않았는지 입을 오물거렸다. 그녀가 한 문장을 완성하기까지는 꽤 오랜 시간이 걸렸다.

"알잖.... 많이.. 많이.. 봤으니.."
"제작자마다 상황이 달라서 아무것도 장담할 수 없어요. 하지만 정신만큼은 아직 멀쩡하니까, 어쩌면 정상참작이 될 수도 있겠네요. 회복 가능성이 보이긴 하니까."

피페는 묘한 표정을 지었다.

"안 돼요.. 어쩌면이란 말은 안 돼요.. 나는 은퇴할 때까지 일해야 돼요. 은퇴..."

그녀가 갈라진 목소리로 더듬더듬 말을 이었다.

"공부도 오로라만.. 평생 오로라만... 내 전부예요.."
"피페, 이건 할 수 있고 없고의 문제가 아니에요. 지금 피페는 아파요. 알아요? 많이 아프다고요. 그러니까 쉬어요. 제발 좀 쉬라고요."

디버깅 요원은 한 글자 한 글자를 꾹꾹 눌러 말했다. 하지만 그의 어떠한 말도 피페를 안정시키진 못했다.

"나 끝까지 할 수 있어요... 난 정년을 채우고 은퇴할 거예요. 끝까지 할 거예요... 난 절대 쫓겨날 수 없어요. 난.. 난..."

난 내 미래를 봤어요. 틀림없이 다가올 미래를. 피페는 디버킹 요원의 손등에 자신의 손을 올려놓았다. 하지만 디버킹 요원은 그녀의 손길에도 미동하지 않았다.

"한 가지만 덧붙이자면요."

디버킹 요원이 입을 열었다.

"징계위원회 심사관들 앞에서는 감정에 호소하진 마세요. 징계위원회가 가장 싫어하는 변호 방식이 감정에 호소하는 거니까. 있는 사실만 이야기하고, 규정에 어긋난 행동을 했다면 지체 말고 시인하세요. 합리적으로 구세요. 그게 징계를 가장 적게 받는 방법입니다. 그렇게 되면, 당신이 원하는 그 잘난 정년 은퇴라는 걸 할 수 있을지도 모르죠."

디버킹 요원은 피페의 손 아래 깔린 자신의 손을 빼냈다.

"네,..."

피페는 낮게 한숨을 쉬었다. 그녀의 목소리는 이제 완전히 돌아와 있었다.

"고마워요."

조용한 속삭임. 피페의 손가락은 여전히 디버킹 요원의 장갑 가장자리에 걸쳐져 있었다. 그런 그녀의 손을 가만히 내려다보던 디버깅 요원은 그녀의 손을 들어 올려 그녀의 배 위에 올려놓았다.

"오로라가 삶의 전부라고 생각하는 것 자체가 잘못된 환상일지 몰라요."

그리고 들려오는 낯선 목소리. 얇고 가느다란 여자의 음성. 피페는 고개를 돌려 그를 보았다. 벌써 두 번째였다. 분명 디버깅 요원이 아닌 것 같은 소리가 그의 헬멧에서 흘러나온 게. 피페가 그 목소리에 대해 묻기 위해 막 입을 열던 찰나. 공용 휴게실의 문이 벌컥 열렸다.

"왜 오로라 얼음을 만들었어요, 왜! 왜 만들겠다고 한 거예요, 몸도 성치 않으면서! 대체 무슨 생각이었던 거예요!"

부아가 소리를 지르며 방 안으로 뛰어 들어왔다. 지난 십 년을 통틀어 그녀가 그토록 화가 난 모습을 본 건 처음이었다. 부아는 간신히 몸을 일으킨 피페를 앞에 두고 한참을 채근했다. 머리가 울리고, 몸이 욱신거렸지만, 피페는 질타에 가까운 그녀의 말들을 조용히 듣고 있을 수밖에 없었다. 서슬 퍼런 부아의 말들에 피페는 차마 변명조차 하지 못했다.

부아의 뒤로도 사람들과 로봇들이 계속 밀려들었다. 작업실의 상태를 확인한 중앙관리실 직원들과 응급 의료팀이었다. 작업실 상태를 촬영한 로봇이 다가와 피페에게 현재 작업실의 모습을 보여주었다. 응급 의료 로봇들은 피페의 몸 마디마디를 짚으며 그녀가 제대로 회복하고 있는지를 확인했다.

"알고 있죠. 징계 심사가 열릴 거라는 거. 이제는 피하고 싶어도 못 피해요."

부아는 휴게실을 나서기 전, 마지막으로 그렇게 말했다. 로봇과 사람들이 엉켜 있는 휴게실의 틈바구니에서 피페는 말없이 고개를 끄덕였다.

"징계 심사 날짜가 정해질 때까지 출근은 하지 않아도 돼요. 쉬는 날들은 연차휴가로 처리될 거고. 연차 일수가 끝나면 무급 휴가로 처리될 거예요. 규정은 이미 알고 있죠?"

피페는 다시 고개만 끄덕였다.

"그럼 심사 날 보죠. 그 전에 논의할 일이 있거나 연락할 일이 있으면 언제든지 해도 좋아요. 어쨌든 난 아직 피페 관리자니까요."

또 한 번의 고갯짓. 아직. 피페는 그 말이 사무치게 아팠다.

...

공원은 며칠 전 모습 그대로였다. 피페는 나무 벤치에 앉아 넓은 녹색의 인공 초원을 멍하니 바라보았다.

버스에서 내려 무작정 걸었다. 몸도 아직 완벽하게 회복된 게 아니라서 뼈마디가 시리고 머리가 어지러웠지만, 피페는 차마 그 길로 집으로 돌아갈 수 없었다. 공허한 적막보다는 갖가지 소음이 가득한 이곳이 나았다.

햇살이 너무 좋아 왔다고 하면, 나에게도 거짓말을 하는 걸까.

잔디밭에 스며든 따사로운 빛. 허벅지 아래로 퍼지는 벤치의 따뜻한 기온. 체온과 닮은 온기가 느껴지자 마음이 조금 안정되는 것 같았다. 시간은 여전히 한낮이었다. 그 많은 일을 겪었는데도 아직 해가 중천에 있다는 사실이 믿기지 않았다.

징계위원회. 머릿속을 떠나지 않는 다섯 글자. 오로라 제작소에서 퇴출되는 제작자라면 반드시 거치게 되는 절차였다. 징계 심사에서 그들은 오로라 제작자의 문제를 하나씩 들추며 그가 왜 오로라 제작소에 남아있으면 안 되는지를 낱낱이 열거했다.

과거에 참석했던 징계 심사 장면들이 주마등처럼 스쳐 지나갔다. 오로라 제작소는 징계 심사가 열릴 때마다 전 직원에게 심사의 시간과 장소를 공지했다. 모든 징계 심사는 공개적으로 진행되었으며, 오로라 제작소에서 일하는 누구든 자유롭게 관람할 수 있었다. 오로라 제작소는 참관을 한 번도 강요한 적이 없었지만, 불시에 날아드는 그들의 공지가 반강제적인 참석 권유라는 걸 모르는 제작자는 없었다. 그건 징계 대상인 오로라 제작자의 퇴출을 정당화하기 위한 초청이었다. 중증 꿈 몸살 환자의 상태를 만천하에 공개하며 왜 그를 내보낼 수밖에 없었는지를 암묵적으로 알리는 작업이었다.

하지만 심사대에 오르는 오로라 제작자 중 오로라 제작소의 비겁한 방침에 불만을 품는 이는 없었다. 징계위원회까지 가게 된 이들은 대부분 자신이 어디에 있는지조차 모를 정도로 정신이 나가 있었으며, 그나마 정신이 멀쩡한 이들도 큰 사고를 일으킨 직후였기에 최대한 말을 아끼고 몸을 사렸다.

마치 오늘의 나처럼.

피페는 문득 무너져 버린 작업실의 모습이 떠올랐다. 깊은 한숨이 절로 나왔다. 피페의 폭발해 버린 작업실은 분명 징계 심사대에서 대문짝만하게 공개될 터였다. 그들은 분명 자신의 사고 앞에서 경멸하는 눈으로 웃을 것이다. 피페가 수치스러울 정도로 강렬하게. 징계 심사가 진행되는 원추형 모양의 무대. 피페는 그 한가운데에 서서 그들의 웃음을 온전히 받아내야 할 것이다. 아무도 도와주지 않는 무대 위의 시간은 얼마나 고독할까. 꿀 먹은 벙어리처럼 네, 아니요를 반복해야 하는 그 시간은 얼마나 처절할까.

그도 나와 같은 마음이었을까.

피페는 문득 과거에 있었던 한 오로라 제작자의 징계 심사를 떠올렸다. 그녀가 가지 않았던 단 한 번의 심사. 모든 오로라 제작자의 징계 심사를 빠짐없이 방청했던 그녀가 유일하게 주체적으로 참석하지 않은 자리였다.

그건 내가 할 수 있는 최대한의 저항이었어.

피페는 애써 고개를 저으며 피어오르는 생각들을 떨쳐냈다. 이런 여유를 부릴 때가 아니었다. 과거의 추억에 젖어 드는 건, 지금 그녀에겐 사치였다.

정말 그만두게 될까. 오로라 제작기가 폭발했는데. 아무래도 책임을 묻겠지. 그럼 난 뭐라고 대답해야 할까. 좀 무서운 꿈을 꿨네요. 악몽이었나 봐요. 하면서 웃기라도 해야 할까. 징계 심사에서 너스레를 떠는 제작자는 여태 한 번도 보지 못했는데. 만약 내가 그러기라도 한다면, 그들은 날 미친 사람 취급할까. 꿈 몸살에 지쳐 자신을 상실해 버린, 또 다른 제작자 중 하나라고 날 평가할까.

그럼 정말로 퇴출되겠네. 피페는 무슨 일이 있어도 웃지 않기로 다짐했다. 그녀는 미치지 않았다. 지금 그녀가 겪는 증상은 꿈 몸살이 아니었다. 비록 꿈 몸살과 매우 흡사한 모습으로 졸도하고, 발작하며, 오로라 얼음 제작기를 파손했지만. 그녀는 꿈 몸살에 걸린 다른 제작자들과는 확연히 달랐다.

피페는 꿈과 현실을 혼동하지 않았다. 꿈 몸살을 앓는 제작자들처럼 꿈과 현실의 경계를 모호하게 느끼지도 않았다. 성공과 승리만이 계속되는 오로라의 꿈. 그 꿈에 잘못 걸려든 제작자들은 종종 현실로 돌아오기를 버거워했다. 오로라가 만들어낸 세상이 그의 욕망을 완벽하게 충족해줄수록 현실로의 복귀는 점점 더 어려워졌다. 오로라의 꿈과 현실이 분리되어 있다는 사실을 받아들이지 못하는 제작자들은 결국 영원히 꿈에서 깨어나지 못했다. 그들은 현실마저도 꿈으로 인식하며 이상 행동을 보였고, 그런 이들은 반드시 징계위원회에 회부되었다.

사람의 본능은 영악하고 약삭빨라서 편하고 쉬운 쪽을 택하는 거예요. 꿈에서의 성공은 현실보다 훨씬 간단하니까요.

부아는 언젠가 피페에게 그렇게 말했다. 징계 심사가 한창 진행되던 강당의 구석 자리에서였다. 건장한 사내의 징계 심사 자리였다. 그는 세계적인 보디빌더가 되는 꿈을 꾸었고, 끝끝내 그 꿈에서 깨지 못했다.

징계 심사 내내 그는 신나게 자신의 근육을 자랑했다. 심사관들이 하는 질문이 들리지 않는 듯, 이두박근과 삼두근을 내보이며 포즈를 취해 보였다. 보다 못한 심사관이 그의 이름을 외치면, 그는 이름이 호명된 보디빌딩 선수마냥 하얗고 고른 치열을 내보이며 웃어 보였다. 그러고는 보디빌딩 대회에서 우승하게 되어 얼마나 영광인지, 우승 상금은 어디에 쓸 것인지에 대한 말들을 줄줄이 늘어놓았다. 증상이 너무나도 명확했기에, 그의 징계 심사는 금방 끝났다. 사내는 보안 요원들과 로봇들의 안내를 받으며 순순히 강당 밖으로 퇴장했다. 그는 무대에서 내려와 걸어가는 내내 관객석을 보며 해맑게 웃었다. 그는 문 너머로 사라지는 순간까지도 자신이 대회에서 우승했다고 굳게 믿고 있었다.

피페는 모든 면에서 그와 달랐다. 피페도 물론 꿈 몸살에 걸린 사람처럼 오로라 얼음을 제작하다 졸도하고, 기계를 망가트렸지만, 그녀는 그처럼 자신만의 상상에 침잠해 들어간 적이 없었다. 그녀는 꿈과 현실을 절대 혼동하지 않았다. 그녀에게 꿈과 현실은 완벽하게 분리된 두 개의 다른 세계였다.

꿈의 마지막에 나타나는 남자. 그만 없다면.

고작 그것뿐인가요. 꿈이 끝날 때쯤 나타나는 남자의 질문. 그 짧은 말은 피페를 일순간에 뒤흔들어 놓았다. 현실에서는 별거 아닌 질문이었지만, 꿈속에서 마주한 그의 물음은 거대한 해일이 되어 그녀를 덮쳤다.

하지만 그저 질문일 뿐이잖아. 도대체 왜.

신발을 모로 세워 보도블록의 가장자리를 슥슥 긁었다. 한숨을 내뱉자 두 입술이 푸르르 떨렸다.

"할머니, 무슨 걱정이라도 있으세요?"

할머니. 피페는 그 단어에 퍼뜩 놀라 고개를 들었다. 그녀의 곁에는 앳되어 보이는 한 여자가 서 있었다. 기껏해야 이십 대

중반 정도로 보이는 아담한 체구의 사람. 그녀는 걱정스러운 표정으로 피페를 내려다보고 있었다.

"어디 불편한 데라도 있으세요? 어머. 팔이..."

한 걸음 다가서던 그녀는 피페의 팔을 보고 놀란 표정을 지었다. 피페의 왼쪽 팔에는 두툼한 붕대가 칭칭 감겨 있었다. 오로라 제작기가 폭발할 때 날아든 파편 조각들이 만든 상처였다.

버스에서 내릴 때까지만 해도 하얗던 붕대는 어느새 붉게 물들어 있었다. 안에서 상처가 터져 피가 새어 나온 모양이었다. 하지만 피페는 아무런 통증을 느끼지 못했다. 오로라 제작소의 의료진이 제공한 우수한 약품 때문인지 혹은 그녀가 무감각해져서인지는 알 수 없었으나 그녀는 여태 아무런 불편감도 느끼지 못했다. 피페는 얼떨떨한 얼굴로 팔을 내려다보았다.

"어떻게. 붕대가 온통 피로... 괜찮으세요, 할머니?"

여자는 어느새 그녀 곁에 다가와 앉았다.

"이게 다 손에 힘이 없어서 그런 거예요. 상처를 제대로 압박하지 않아서 피가 새어 나오는 거라고요. 붕대를 감을 때는 웬만하면 다른 사람한테 부탁하세요. 정 힘들면 병원에 가셔도 좋고요."

여자는 조잘조잘 말을 늘어놓으며 붕대를 감은 그녀의 팔을 이리저리 살폈다. 피페는 자꾸만 가까이 다가오는 그녀를 못마 땅한 표정으로 지켜보다가, 가볍게 팔을 털어 소매 안쪽에 있던 팔찌가 아래로 흘러 내려오도록 했다. 그녀가 오로라 제작자 임을 알리는 투명한 아이디 카드. 피페는 팔찌를 은근히 내밀어 보였다. 그건 무언의 신호였다. 자신은 할머니가 아니며, 그녀가 무턱대고 간섭하며 잔소리를 할 수 있는 정도의 의료 서비스를 받는 사람이 아니라는 증표였다.

"아휴 할머니, 팔 좀 가만히 좀 있어 보세요. 그러니까 더 안 보이잖아요."

하지만 그녀의 눈에는 피페의 팔찌가 보이지 않는 듯했다. 붕 대를 눈으로만 살피던 그녀는 안 되겠다고 생각했는지 결국 피 페의 팔에 손을 댔다. 쓰라린 감촉이 피부를 타고 전해졌다. 피 페는 저도 모르게 이를 부딪치며 스읍하는 소리를 냈다.

"거봐요. 이게 다 가만히 안 있어서 그런 거예요."

그녀는 어느새 붕대 끝단을 만지작거리고 있었다. 여차하면 붕대를 전부 풀어버릴 기세였다. 피페는 황급히 뒤로 물러섰다. 그러고는 주머니에서 약을 꺼내 보여주었다. 조금 전 디버깅 요 원이 주머니에 넣어 준 연고였다.

"약이 있으면 진작에 말씀하시지. 상처 덧나기 전에 얼른 바르세요. 이 지경이 되도록 여태 약 안 바르시고 뭐 하셨어요?"

그녀의 질책에 뭐라 답을 해야 할지 알 수 없었다. 피페는 그녀의 존재 자체가 당황스러웠다. 수십 번도 넘게 공원을 다니면서 한 번도 그녀 같은 사람을 만난 적이 없었다. 공원은 공용 공간이자 동시에 철저한 익명의 공간이었다. 이곳에서 사람들은 각자의 일에만 매진할 뿐, 서로에게 조금도 눈길을 주지 않았다. 매일같이 만나더라도 인사하지 않았으며, 땅이 꺼져라 한숨을 뱉어도 이유를 묻지 않았다. 서로를 완벽하게 모르는 척하는 것. 그건 공원에서 암묵적으로 통용되는 규칙이었다. 그러나 그녀는 그 무언의 규칙을 깨고 피페의 영역을 침범하려 하고 있었다.

피페는 자리를 박차고 일어섰다. 어색하게 웃으며 짧은 목례를 건넸다. 그녀에게 조금만 더 곁을 내줬다가는 같이 저녁이라도 먹으며 오늘 하루가 어땠는지를 이야기해야 할 것만 같았다. 그건 지금 피페에게 일어날 수 있는 최악의 일이었다.

"어디 가세요, 그냥 가시게요?"

등 뒤에서 들려오는 질문. 피페는 그 소리를 애써 무시한 채 빠르게 걷기 시작했다.

"약 꼭 바르셔야 돼요! 집에 도와줄 분은 있으세요?"

그녀는 피페를 바짝 뒤쫓아 왔다. 피페는 걸음을 더욱 빨리했다. 속력을 높이자 무릎이 아려 왔다. 하지만 그녀는 멈출 수가 없었다. 조금이라도 멈췄다가는 그녀에게 곧 잡힐 것 같았기 때문이다.

저만치 버스 정류장이 보였다. 휴대용 전자패드를 꺼내 급하게 버스 시간표를 확인했다. 그녀가 탈 버스가 곧 도착할 예정이었다. 피페는 달리기 시작했다. 하지만 여자의 목소리는 좀처럼 멀어지질 않았다.

"약은 붕대 다 푸르고 바르셔야 해요. 귀찮다고 대충 반쯤 푸른 채로 아무렇게나 바르시면 안 돼요! 한 번에 덕지덕지 바르지도 말고요! 얇게 여러 번 펴 바르는 거예요, 알겠죠? 매번 붕대 끝까지 푸르고, 약 바르고 새 붕대로 갈아 주세요. 네? 제 말 듣고 있어요? 할머니!"

저만치에서 버스가 오고 있었다. 도로 위를 가르는 버스가 그토록 반가운 건 또 처음이었다. 피페는 자꾸만 가까워지는 여자의 말들을 뿌리치며 정류장에 들어섰다. 그러고는 버스 문이 닫히기 직전에 쏜살같이 올라탔다.

"할머니! 할머니!"

버스 창밖으로 여자가 보였다. 그녀는 이미 닫혀 버린 버스의 자동문 뒤에서 황망한 표정으로 서 있었다. 피페는 그런 그녀를 뒤로한 채 사람들 사이를 비집고 들어갔다. 저만치 멀어져가는 여자의 모습이 보였다. 그녀는 손나팔을 만들고서 피페가 탄 버스를 향해 뭐라고 소리치고 있었다.

온통 이상한 일만 가득한 하루였다. 오늘처럼 일진이 사나운 날은 집에 가만히 있어야 돼. 가만히. 피페는 자리에 앉아 창밖으로 스치는 풍경을 바라보며 중얼거렸다. 집에 도착하면 우선 뜨거운 물로 샤워를 하고 내일 아침 해가 뜰 때까지 종일 잠을 자기로 했다. 그녀는 오늘 하루를 최대한 빨리 넘겨 버리고 싶었다. 기억 속에서 지우면 오늘 하루가 없어지기라도 할 것처럼. 이미 일어난 일들이 사라지기라도 할 것처럼. 모든 일이 일어나기 전으로 되돌아가기라도 할 것처럼.

무인 솜사탕 수레

이불에 둘둘 말린 인간 고치가 침대 위에서 꿈틀거렸다. 빛 한 줌 들지 않는 방. 두꺼운 천이 매트리스를 스치는 소리만 이따금씩 들려왔다. 닷새였다. 다섯 번의 밤과 낮이 흐르는 동안 피페는 침대에서 꼼짝도 하지 않았다. 내내 잠을 잔 건 아니었다. 오로라 제작소에서 일하면서 얻은 불면증이라는 동반자는 피페를 쉬이 잠들지도 못하게 했다.

피페. 내일 10시. 2번 면담실로 오세요.

어제 오후 도착한 메시지. 며칠 만에 들은 누군가의 음성이었다. 피페는 주섬주섬 팔을 뻗어 시계를 확인했다. 7시 10분. 두꺼운 이불 아래서 깊은 한숨이 흘러나왔다.

사전 징계 심사는 비공개로 진행되었다. 사고 당일 정확히 무슨 일이 벌어졌고, 피페가 어떠한 규정을 어겼는지를 확인하는 형식적인 절차였다. 네 사람이 겨우 끼어 앉을 수 있는 작은 방에서, 두 명의 심사관들은 피페에게 번갈아 질문했다. 쏟아지는 물음표들 사이에서 피페가 할 수 있는 말은 기껏해야 네, 아니오 정도였다.

한 시간 정도 지났을까. 심사관이 화면에 띄워 놓았던 자료들을 정리하며 말했다.

"네. 그럼 이것으로 첫 번째 심사를 마무리하겠습니다. 다음 심사는 일정이 정리되는 대로 연락드리죠."

피페는 자리에서 일어나며 잠시 고민했다. 그들에게 고개를 숙여 인사를 해야 할지, 악수를 청해야 할지를 모르겠어서였다. 우두커니 서 있는 그녀를 본 심사관 중 하나가 말을 걸었다.

"그러게 왜 그러셨어요. 잘 좀 하시지."

심사관은 그녀가 할 말이 있어 나가지 않고 있는 거라 착각한 모양이었다.

"말씀하시는 거 보면 꿈 몸살이 중증은 아닌 것 같은데, 개인적으로 좀 안타깝네요. 일단 사안이 워낙 커서 장담하긴 어렵겠지만, 그래도 마지막 심사 자리에서 말씀만 잘하시면 이번 건은 넘어갈 것 같기도 해요. 그리고 앞으로는 오로라 얼음을 잘 좀 조절해서 복용하세요. 상상 근육 힘을 키우고 복용량은 적당히. 예?"

됐죠? 심사관의 눈은 그렇게 말하고 있었다. 피폐는 대충 고개를 꾸벅 숙이고, 가방을 챙겨 면담실을 나섰다.

"어후. 지독한 향수 냄새. 창문이랑 문 좀 다 열어 놔. 대체 향수를 왜 저렇게 많이 뿌리는 거야? 저것도 병이야, 병. 대체 오로라 제작자들은 다 왜 저래?"

면담실을 나와 엘리베이터를 기다리던 중이었다. 오늘따라 유독 오지 않는 철제 상자를 멀거니 기다리던 피폐는 저만치서 면담실의 창문과 문이 열리는 소리를 들었다. 열린 문 사이로 전해지는 목소리는 피폐에 대해 이야기하고 있었다.

"그러니까. 하나같이 다 왜 저러는지 모르겠어. 그 자리 유지하고 싶으면 일이나 제대로 하든가. 오로라 제작소에서 돈도 제일 많이 가져가면서. 그 정도 월급이면 나는 안 시켜도 그냥 넙다 누워 맨날 행복한 상상만 하겠다, 아니, 자기들이 뭐 어려운 일 해? 그냥 누워서 상상만 좀 하면 되는 거 아니야. 완전 꿀 빨면서. 하여간. 다들 약해 빠져 가지고. 돈맛 좀 보고 나면 그냥 다들 헤까닥 미쳐 버리지. 에휴. 그래 맞다. 배부른 소리다, 배부른 소리."

문틈 사이로 새어 나오는 목소리. 껄껄대는 웃음소리. 피페는 당장이라도 면담실에 다시 뛰어 들어가고 싶은 마음이 굴뚝 같았지만, 그저 가방 손잡이만 조용히 움켜쥐었다. 징계위원회 사람들이었다. 그녀의 생사를 쥐고 있는 그들이었다.

사전 심사를 왜 아직도 사람이 하는 거야. 기계가 충분히 할 수 있는 일인데.

피페가 할 수 있는 일이라곤 입술을 물어뜯으며 속으로 불만을 터트리는 것뿐이었다. 때마침 엘리베이터가 도착했고, 피페는 철제 상자에 몸을 실었다. 엘리베이터가 한 층씩 내려갈 때마다 심장이 조여 오기 시작했다. 호흡이 점차 가빠졌다. 다시 문이 열렸을 때, 피페는 벽을 짚으며 관짝 같은 상자에서 가까스로 빠져나왔다.

공원엘 가야겠어. 드넓은 초원을 봐야겠어. 인공 초원이라도 괜찮아.

...

피페는 버스에서 내리자마자 인공 초원을 향해 내달렸다. 말끔한 고급 정장과 구두를 차려입고서 전혀 어울리지 않은 걸음걸이로 달음박질치는 노인. 미친 듯이 나아가는 노인의 모습은 공원에 있던 사람들에게 진귀한 구경거리가 되었다. 그들은 모두 피페를 한 번씩 돌아보았다. 저들끼리 눈짓을 주고받는 이들도 있었다. 하지만 피페는 그들을 신경 쓸 겨를이 없었다. 버스를 타고 오는 내내 헐떡였던 그녀였다. 그녀는 숨을 쉬고 싶었다. 단 한 번이라도 좋으니 편안하게 호흡하고 싶었다.

피페는 벤치에 주저앉아 뛰는 심장을 잠재웠다. 드넓은 인공 잔디 앞에서는 어떠한 일도 잊을 수 있었다. 일정한 리듬으로 살랑이는 풀들은 모든 요동하는 감정들이 잦아들었다. 하지만 오늘은 달랐다. 떨리는 심장은 인공 잔디 앞에서도 좀처럼 진정되질 않았다. 피페는 애처로운 손길로 심장을 움켜쥐었다. 불규칙적으로 펄떡이는 박동이 손바닥으로 전해졌다.

"일단 숨을 크게 들이쉬고 잠시 참으세요, 그리고 입으로 공기를 내뱉는 거예요."

갑작스러운 목소리. 피페 곁에는 어느새 한 여자가 앉아 있었다. 며칠 전 버스 정류장까지 집요하게 뒤따라오던 그 여자였다.

"437 호흡법이라고. 꽤 유명한 숨쉬기 방법이에요. 몸보다 마음이 아플 때 아주 유용하죠. 같이 해 볼래요?"

그녀는 피페의 손을 잡았다. 차가운 그녀의 손 위로 따스한 온기가 전해졌다. 피페는 허우적대며 그 손을 뿌리치려 했지만, 몸이 말을 듣질 않았다. 그녀는 피페의 손을 붙들고서 지휘하듯 손을 휘저었다.

"자, 4초 동안 코로 숨을 들이쉬고. 3초 동안 참고, 7초 동안 입으로 내쉴 거예요. 내쉴 때는 꼭 코가 아닌 입으로 강하게 숨을 내보내야 해요. 마음에 쌓인 이물질을 털어내듯이 힘껏 흘려보내는 거예요. 더 힘있게 내뱉어요. 더 더 더!"

피페는 그녀의 지시에 따라 움직였다. 눈을 꽉 감고서 숨을 들이마시고, 참았다가 풍선을 부는 것처럼 입을 모아 후우 숨을 내뱉었다. 폐에 공기를 한 톨도 남기지 않겠다는 기세로, 온몸을 비틀며 바람을 내보냈다. 후우. 후우. 후우.

"좀 낫죠?"

피페의 호흡이 점차 잦아들자, 여자가 싱긋 웃으며 말했다. 피페는 천천히 고개를 끄덕였다. 그런 피페를 만족스럽게 바라보던 여자는 갑자기 놀란 눈으로 외쳤다.

"이그. 할머니, 팔! 이거 한 번도 안 갈았죠, 그죠. 내 이럴 줄 알았어. 약 잘 바르고 붕대 매번 가시라니까. 참."

그녀는 투덜거리며 피페의 팔을 감싸고 있던 붕대를 건드렸다. 피페가 팔을 뒤로 빼자 그녀가 말했다.

"아유. 안 잡아먹어요. 팔 좀 빨리 이리 내 보세요."

그녀는 주머니에서 붕대와 연고를 꺼내 보였다.

"혹시 여기 다시 오실까 싶어서 며칠 동안 계속 가지고 다녔어요. 그날 아무리 봐도 상처에는 관심 없으신 거 같아서."

피페는 여전히 경계심 가득한 눈초리였다.

"전 소로예요. 소로. 할머니는 성함이 어떻게 되세요?"

자신을 '소로'라고 부르는 여자는 다시 피페의 팔을 잡았다. 갑작스럽게 얹어지는 손에 피페는 흠칫 놀라 뒤로 물러섰고, 소매 안쪽에 있던 팔찌가 흘러나왔다. 소로의 시선이 피페의 손목을 향했다. 오로라 작업자임을 밝히는 팔찌와 피페의 얼굴을 번갈아 보았다.

"그랬구나."

그건 소로가 보인 반응의 전부였다.

"도와줘서 고맙긴 한데, 이제 됐어요. 충분해요. 팔의 상처는 내가 알아서 할게요."

괜히 머쓱해진 피페는 소맷단 근처에 매달린 팔찌를 황급히 옷 속으로 집어넣었다.

"어, 처음으로 말했다."

소로는 왜인지 기쁜 얼굴이었다.

"그럼 이건 그냥 가져가요. 며칠 동안 주려고 가지고 있었어요. 팔은 딱 봐도 고름이 가득 찬 것처럼 보이는데, 아마 붕대 풀면 꽤나 아플 거예요. 오늘은 꼭 잊지 말고 연고 바르세요. 그냥 방치했다간 정말 큰일 나요."

소로는 손에 쥐고 있던 연고와 붕대를 피페 품에 안겨 주었다.

"이름은 끝까지 안 알려 줄 거예요?"

궁금한데. 소로는 피페를 빤히 쳐다보며 말했다. 피페는 슬그머니 그녀의 눈길을 피했다.

"오로라 제작자면 돈도 잘 벌겠네요. 좋겠다."

소로는 벤치에 기대어 앉으며 중얼거렸다. 피페는 아무말도 하지 않았다.

"근데 오로라 제작자가 이 시간에 왜 여기 있어요? 보통 바쁘잖아요. 아침 일찍부터 밤늦게까지 일한다고 들었는데, 아니에요?"

피페는 여전히 답이 없었다. 이번에는 일부러 답을 하지 않는다기보다, 무어라 답을 해야 할지 모르겠어서였다. 그런 그녀를 흘긋 보던 소로가 말을 이었다.

"그쵸. 맞아요. 오로라 제작자. 그거 생각보다 별로더라고요. 오로라 제작자라면 다들 눈이 휘둥그레져서 부럽다, 부럽다

하는데. 어휴. 생각보다 일도 힘들고, 부작용도 많고. 뭐 그렇
다면서요?"

소로가 벤치 안쪽으로 몸을 당겨 앉자, 땅에 간신히 닿아 있던
발이 공중으로 떠올랐다.

"주변에 아는 오로라 제작자가 있어요?"

피페가 물었다.

"뭐, 그렇기도 하고. 아니기도 하죠."

소로가 답했다.

"오로라 제작자와 친분이 있는 거예요?"
"그렇다고 하기는 좀.."
"그냥 아는 사이?"
"그렇죠, 뭐. 그냥 오가면서 몇 번 보는 그런 사이 정도?"
"그럼 그런 말 말아요. 오로라 제작자는 함부로 넘겨짚는 걸
제일 싫어해요."

소로는 더 이상 아무런 말도 하지 않았다. 둘은 잠시 침묵 속
에 앉아 있었다.

"난 피페예요."

오랜 정적을 깬 건 피페였다.

"피페!"

소로가 방긋 웃으며 그녀의 이름을 불렀다. 두 개의 작은 운동화가 허공을 가로지르며 경쾌하게 나풀거렸다.

"예쁜 이름이네요. 피페. 그거 알아요? 서양에서는 작은 피리를 피페라고 한대요."

그렇군요. 피페는 덤덤하게 답했다.

"어, 솜사탕이다."

소로가 공원 저편을 보며 말했다. 인공 잔디 너머로 솜사탕을 단 수레가 큰 바퀴를 굴리며 나아가고 있었다. 요새 들어 길거리에 자주 보이기 시작한 무인 수레였다.

"오랜만이네요. 솜사탕 수레 진짜 오랜만에 봐요. 어릴 때 자주 간식으로 사 먹곤 했는데. 요새는 저것도 무인 수레가 나오네요."

소로는 갑자기 피페의 손등을 쿡 찔렀다.

"혹시 저한테 좀 고맙지 않아요?"
"네?"
"아까 숨쉬기 힘들 때 손도 잡아주고 연고랑 붕대도 가져다줬잖아요."

피페는 어리둥절한 얼굴로 그녀를 보았다.

"솜사탕 하나 안 먹을래요?"

소로는 씨익 웃으며 물었다.

"난 괜찮아요. 먹고 싶다면 사 줄게요."

피페는 이때다 싶어 자리에서 일어났다. 소로에게 솜사탕을 하나 쥐여 주고 얼른 집에나 가야겠다는 생각이었다.

"같이 안 먹어요?"
"됐어요. 단 걸 별로 안 좋아해서."
"아. 그래요?"
"네?"
"아니에요."

소로는 황급히 몸을 돌려 솜사탕 수레로 향했다. 그렇게 몇 걸음을 떼었을까, 소로는 다시 피페에게로 성큼성큼 다가왔다.

"사탕 좋아했던 거 아니었어요?"

다짜고짜 던져진 질문. 피페는 놀란 얼굴로 소로를 보았다.

꿈의 몰락

"방금 뭐라고 했어요?"

피페가 날 선 목소리로 물었다.

"다시 말해 봐요. 방금 뭐라고 했어요?"
"아무것도 아니에요."

피페는 멀어지려는 소로의 옷소매를 낚아챘다.

"말해 봐요. 뭐라고 했냐고요!"

피페가 꽥 소리를 질렀다. 주변을 지나가던 사람들이 그들을 흘금흘금 쳐다보았다.

"내가 사탕을 좋아했다는 걸 어떻게 알았죠? 왜 그런 질문을 했죠?"

"그냥 장난이었어요, 장난."

"말 같지도 않은 소리 하지 마."

단호하고 거친 목소리. 피페는 거센 몸짓으로 소로를 끌어당겼다. 소로는 버텼지만, 마음먹고 달려드는 그녀의 힘을 이겨내지는 못했다.

"너 누구야."

숨소리가 들릴 정도로 가까운 거리. 피페가 낮게 으르렁거렸다.

...

얼마 전부터 그의 오로라 얼음 복용량이 급속도로 늘어나고 있었다. 작업실의 한구석을 차지하던 사탕 기계는 치워졌고, 사탕이 있던 자리에는 오로라 얼음이 들어섰다. 모두 그의 관리자가 강제한 것들이었다. 오로라 얼음을 완전히 끊은 후부터, 그의 오로라 얼음 품질은 현저하게 떨어지고 있었다. 형체를 갖추지 못한 채 부서져 내리는 건 허다했고, 아무런 가공을 할 수 없을 정도로 단단한 경우도 있었다. 어느 쪽이든 상품성은 전혀 없는 것들이었다.

"나가요. 이럴 거면 나가. 오로라 얼음을 만들러 왔으면, 오로라 얼음을 만들란 말이에요! 이상한 고집 부리지 말고!"

어느 날 피페는 벽을 타고 넘어오는 거센 목소리를 들었다. 방음벽을 뚫을 정도로 소리가 크다는 건 목소리 주인이 적잖이 화가 났다는 걸 의미했다.

"나가든지 아니면 오로라 얼음을 다시 복용하든지. 선택해요. 내가 이렇게 화를 내는 건 오늘까지입니다. 어차피 당신 인생이에요. 당신 선택이야. 망하고 싶다면 망해. 그게 당신 선택이라면."

잠깐의 침묵. 무언가 쾅 하며 세게 부딪치는 소리. 피페는 자리를 박차고 일어났다. 걱정스러운 눈으로 벽을 바라보았다. 곧 옆방 작업실의 문이 열리는 소리가 들렸고, 피페는 얼른 인터폰 화면을 켜고서 복도를 지켜보았다.

그의 작업실에서 두 명의 남자가 걸어 나왔다. 젊은 남자와 백발이 성성한 노인. 노인은 후들거리는 다리로 간신히 서 있었다. 그의 손등에는 선명하게 베인 자국이 나 있었다. 딱 봐도 깊은 상처였지만, 둘 중 누구도 그 상처에 대해 언급하지 않았다. 관리자는 그의 어깨를 한 번 툭 치고서 복도 너머로 사라졌다.

그날 그의 사탕 기계는 형체를 알 수 없는 모습으로 부서졌고, 그는 더 이상 사탕에 대해 말하지 않았다. 어느 날 옆방에서 들리는 굉음에 놀란 피페가 그의 작업실로 뛰어 들어가 뺨따구를 후려갈기기 전까지, 그는 더 이상 그녀에게 말도 걸지 않았다.

"사탕 좋아했던 거 아니었어?"

그가 피페에게 뺨을 맞고 깨어난 지 딱 한 달이 되던 날이었다. 피페는 그의 작업실 문을 박차고 들어가 오로라 제작기 근처에 놓인 바구니를 뒤집어 안에 담긴 오로라 얼음을 책상에 쏟아버렸다. 몇 달 전만 해도 사탕이 들어 있던 바구니는 이제 사탕처럼 생긴 오로라 얼음들로 채워져 있었다. 단단한 책상의 표면 위로 하얀 알갱이들이 흩어졌다. 사방으로 흩어지던 알갱이들은 책상의 가장자리를 맴돌다가 바닥으로 곤두박질치며 파사삭 깨져버렸다. 새하얀 빛으로 반짝이는 조각들 사이로 녹색과 보라색의 오로라가 일렁였다.

"그만둬. 필요해서 가져다 놓은 거야."
"사탕이 더 낫다며. 나한테 그랬잖아. 오로라 얼음을 먹을 거면 차라리 사탕을 먹으라며. 벌써 잊었어?"
"난 오로라 얼음이 필요해."

그는 읊조리듯 말했다.

"이렇다 진짜 큰일 나. 지금 어떻게 보이는 줄 알아? 되게 아파 보여. 제정신이 아닌 것처럼 보인다고. 본인 몸이니까 본인이 제일 잘 알 거 아니야. 관리자가 뭐라 하든 듣지 마. 관리자는 아무것도 몰라. 어차피 오로라 얼음 품질밖에 신경 쓰지 않는 사람들이야. 며칠 전에도 꿈 몸살 비슷하게 발작이 와서 내가 겨우 깨웠잖아. 뺨이 얼얼할 때까지 맞아 놓고, 기억 안 나?"
"관리자는 몰라."

"관리자가 몰라? 웃기지도 마. 관리자는 다 알아. 티를 안 내고 있을 뿐이야. 다음번에 진짜 발작이 일어나면 그땐 어떻게 할래? 어? 그땐 어떻게 할 거냐고."

"오로라 얼음을 다시 복용하게 만든 건 관리자야. 그러니까 책임도 그 사람이..."

"책임 같은 소리 하네. 여태는 안 그랬어? 여태는 안 그랬냐고. 관리자는 늘 오로라 얼음을 강요해. 그걸 적절하게 받아쳐야 하는 게 오로라 제작자의 일이고. 현명하게 살라고 했잖아. 당신이 그랬잖아! 왜 이걸 내가 얘기해 줘야 해?"

피페는 답답하다는 듯이 빈 바구니를 작업실 저편으로 던져 버렸다. 그녀는 가져온 손거울을 펴서 그의 얼굴을 비추었다. 그는 거울 속의 자신을 마주하는 순간 몸을 움츠렸다. 피페는 그의 멱살을 잡고 코앞까지 거울을 들이밀었다.

"피하지 말고 똑바로 봐. 거울 안에 비친 눈을 봐. 본인 눈을 좀 보라고. 이게 어딜 봐서 건강한 사람의 눈이야. 당신 지금 아파. 정말 아프다고. 몇 년을 넘게 봐 왔지만. 여태 이런 눈을 한 모습은 본 적이 없어. 지금 진짜 반병신 같다고. 알아들어?"

반짝이던 갈색의 눈. 노인의 가면 속에 숨겨져 있던 그의 진정한 얼굴. 그는 이제 그 눈마저 잃어 가고 있었다. 피페는 고작 몇 주 만에 변해 버린 그를 도저히 받아들일 수가 없었다.

"난 부양해야 할 식구들이 있어. 난 함부로 일을 그만둘 수 없어."

묵묵히 땅만 내려다보던 그가 조용히 중얼거렸다.

"그러니까 오로라 얼음 당분간 줄이라는 거야. 오래 일하고 싶다며? 이게 오래 일하겠다는 사람의 태도야? 오로라 얼음을 만들겠답시고 오로라 얼음을 한 주먹씩 씹어 먹는 게? 오로라 제작기에서 나오자마자 다시 제작기로 되돌아가는 게? 진짜 미치려고 작정한 사람 같아. 오로라 얼음 품질? 그깟 게 뭔데. 관리자? 관리자가 뭐. 관리자가 당신을 자르기라도 한대? 관리자한테는 그럴 권한이 없어. 알잖아. 나한테 매번 그렇게 말했잖아. 아무것도 중요하지 않다고. 그냥 미치지만 않으면 된다고. 그러기만 한다면 일을 계속할 수 있다고. 기억 안 나? 매번 귀에 딱지가 앉을 때까지 잔소리했잖아. 그러니까 제발 좀 쉬어. 제발 좀 쉬라고. 오로라 복용량도 이제 좀 줄이고."

피페의 목소리가 점점 더 커졌다.

"오로라 얼음 품질이 좀 낮아질 수도 있지. 우리가 기계야? 우리가 로봇이냐고. 우린 사람이야. 매번 똑같은 기성품을 만들 수는 없어. 노력하는 모습 보여줬잖아. 몇 주간 쉬지 않고 일했잖아. 이제는 예전으로 다시 돌아가도 괜찮아. 관리자도 이제는 뭐라고 하지 않을 거야."

피페는 그에게 한 걸음 다가섰지만, 그는 고개를 돌려 버렸다.

"내가 관리자한테 가서 얘기해? 그러길 바라는 거야?"

그녀가 강한 어조로 묻자 그는 그제야 천천히 고개를 들었다.

"피페, 나 꿈을 봤어."

그가 나지막하게 속삭였다.

"나만의 꿈을 봤어. 오직 나를 위한 미래를."

그가 다시 속삭였다. 그의 두 눈이 순간적으로 번뜩였다. 한 번도 본 적 없던 눈. 섬뜩한 그의 눈빛에 피페는 저도 모르게 한 발 뒤로 물러섰다.

피페는 순식간에 온몸의 피가 차가워지는 걸 느꼈다. 그녀는 그가 오로라의 꿈에 걸려들었다는 것을 깨달았다. 절대 거부할 수 없는 꿈. 오로라 얼음이 만들어낸 무작위의 꿈 중, 그의 욕망을 적확하게 충족시킬 꿈을 만난 것이었다.

"무슨 일이 있더라도 오로라의 꿈과 현실을 분리해야 돼. 오로라는 무수히 많은 꿈들을 보여줄 거야. 모든 꿈에서는 성공과 승리만이 펼쳐지겠지. 하지만 대부분의 성공과 승리는 널 흔들어놓지 않아. 그중에서 위험한 건 오직 하나야. 단 하나. 무수히 많은 꿈 중에 네 입맛에 맞는 것 하나쯤은 분명히 있을 거거든. 오로라의 꿈은 모두 네 무의식에서 흘러나오는 상상이지만. 그 상상 중에 네 마음이 유독 동하는 게 있을 거야.

중요한 건 그 꿈에 말려들지 않는 거야. 오로라의 꿈과 현실을 명확하게 구분해야 해. 그것만 할 수 있으면, 넌 미치지 않을 수 있어."

입버릇처럼 하던 경고. 불과 몇 개월 전까지만 해도 그는 오로라 제작소에서 살아남는 법을 알고 있었다. 하지만. 하지만.

피페는 눈앞에 앉아 있는 그의 모습을 도무지 믿을 수가 없었다. 팔다리를 아무렇게나 널브러트린 채 실실 웃고 있는 남자.

그는 복권 번호를 보았다고 했다.

"정말이야. 꿈에서 봤어. 여섯 개의 숫자. 이 숫자들만 있으면 난 정말 부자가 될 수 있어. 진짜 부자. 월급에 매인 채로 부자 행세를 하는 가짜가 아닌, 진짜 부자가 될 수 있다고."

그래서 그는 꿈을 들락거렸다고 했다. 복권에 당첨되는 날이 언제인지를 알아내려고. 복권을 구매한 그곳이 정확히 어디인지를 알아내려고. 그는 지도까지 보여주며 설명했다. 석 달 뒤 금요일. 그는 그곳에서 복권을 살 거고, 그 복권은 반드시 당첨될 것이었다.

"당첨금은 상상을 초월하는 액수였어. 우리 가족이 평생 써도 다 쓸 수 없을 만큼. 그 돈을 손에 쥐는 순간 여길 박차고 나갈 거야. 가기 전에 오로라 제작소 문 앞에 시원하게 침이나 갈겨 줘야지. 이 지긋지긋한 오로라 작업실. 여기도 이제 끝이야."

오로라 제작일을 그만두면, 그는 작은 사탕 가게를 할 거라고 했다.

"아니다. 사탕 가게는 답답하니까 사탕 수레를 할 거야. 솜사탕과 알사탕을 같이 파는 수레. 어때? 분명 아이들에게 인기가 많을 거야. 매일 공원 한구석에 앉아서 노닥거려야지. 내리쬐는 햇볕을 받으며 오전을 보내면, 오후쯤 사람들이 몰려들 거야. 다들 사탕을 사 가겠지, 내 사탕은 맛이 좋으니까 그들은 분명 행복할 거고. 난 그들을 보며 행복해질 거야."

공원의 따스한 햇살과 작은 사탕 수레. 행복해하는 사람들의 미소와 아이들의 웃음소리. 그에게 그 모든 것들은 틀림없이 다가올 미래였다. 오로라의 꿈은 선명하고도 유려했고, 그는 그 꿈을 전적으로 신뢰했다.

그는 석 달 뒤 금요일을 기다렸다. 달력에 빨간 표식까지 남기며 날을 세었다. 그리고 마침내 당도한 그 날. 그는 열 장도 넘는 복권을 샀다. 당첨 결과가 나오는 토요일 저녁, 피페는 그와 공원에서 만났다. 둘은 카운트다운까지 해가며 결과가 공개될 시간을 기다렸다. 그리고.

"그만해."

피페는 그의 손목을 잡았지만, 그는 그녀의 손목을 뿌리쳤다. 그는 이미 열 번도 넘게 화면을 새로고침하고 있었다.

"아니야."

그는 믿기지 않는다는 눈으로 화면의 숫자들을 응시했다. 넋이 나간 얼굴로 화면의 새로고침 버튼을 눌렀다. 그는 벌써 스무 번째 같은 행동을 반복하고 있었다.

"다음 주에 다시 사자. 날짜를 잘못 알았을지도 몰라. 다음 주에는 분명 당첨될 거야."

피페는 그를 다독였지만, 그는 날카로운 눈으로 그녀를 노려보았다. 살기 어린 눈. 피페는 그만 입을 다물었다.

"오로라의 꿈은 거짓말을 하지 않아, 절대."

피페는 더 이상 아무 말도 할 수 없었다. 그도 더 이상 아무런 말도 하지 않았다. 둘은 버스 정류장으로 향했고, 각자 집으로 향하는 버스에 몸을 실었다. 버스 정류장에 앉아 말없이 도로를 응시하던 그. 피페는 그게 그의 마지막 모습이 될 거라고는 상상도 하지 못했다.

그의 꿈 몸살이 중증으로 번지기까지는 오랜 시간이 걸리지 않았다. 그와 공원에서 만난 지 이틀이 지난 월요일. 그는 다급하게 피페의 작업실 문을 두드렸다.

"피페! 피페!"

문 뒤로 보이는 환한 얼굴. 그가 그토록 밝은 웃음을 지은 건 참으로 오랜만이었다.

"나 됐어! 됐어! 당첨됐다고!"

그는 기쁨을 이기지 못하겠는지 몸까지 부르르 떨며 펄쩍펄 쩍 뛰었다. 피페도 순간 짧은 비명을 지르며 그와 함께 뛰었다.

"어떻게? 어떻게? 길 가다 다른 사람 복권이라도 주운 거야? 아니면 나 몰래 사 놓은 여분의 복권이라도 있었던 거야?"

피페가 다그쳐 물었다.

"아니, 무슨 소리 하는 거야? 저번 주 금요일에 샀던 복권. 그 거 당첨됐다고! 내 말이 맞지? 오로라의 꿈은 거짓말하지 않 는다니까!"
"뭐라고? 그거 결과는 나랑 같이 확인..."

피페는 말을 끝맺지 못했다. 이상한 느낌이 배꼽 부근에서 스 멀스멀 피어올랐다. 아니겠지. 아닐 거야. 피페는 피어오르는 의 심을 애써 밀어냈다.

"그 복권, 내가 좀 봐도 돼?"

그녀는 최대한 차분한 목소리로 물었다.

"왜? 가져가서 당첨금 네가 대신 타려고?"

그가 장난기 넘치는 목소리로 물었지만, 피페는 아무런 답도 하지 않았다. 그는 머쓱해진 표정으로 손에 쥐고 있던 얇은 종이를 피페에게 건넸다.

잔뜩 구겨진 종이. 그건 분명 지난주에 구매했던 복권이었다. 지난번과 숫자 하나까지 같은 복권. 피페는 휴대용 전자패드를 열어 지난주 복권의 결과를 다시 한번 확인했다. 결과 역시 하나도 달라져 있지 않았다. 피페는 구겨진 흔적이 가득한 낡은 복권 앞에서 무슨 말을 해야 할지 알 수 없었다.

하지만 그는 그런 그녀의 표정이 보이지 않는 듯, 흥얼흥얼 콧노래를 불렀다.

"이제 난 부자야, 피페. 부자라고! 내가 일을 그만둔다고 날 잊어버리면 안 돼. 가끔은 공원에도 찾아와. 네게는 사탕을 공짜로 줄게. 새로운 맛이 나오면 시식 정도는 하게 해 주지."

커다란 쇠구슬이 목구멍을 꽉 막아버린 것만 같았다. 하지만 피페는 차마 울 수도 없었다. 그녀는 꿈에 살고 있는 그를 해치고 싶지 않았다. 헛된 희망도 희망이라면, 그녀는 그 희망이라도 붙들고 싶었다.

그의 꿈 몸살이 최고조에 달했다는 사실을. 피페는 아무에게도 알리지 않았다. 관리자와의 정기 면담 날이 돌아오면 모든 게 밝혀질 테지만, 그녀는 그때까지만이라도 그를 지키고 싶었다.

사흘 동안 피페는 그와 함께 꿈에 살았다. 그는 작업실에서 사탕을 만들었다. 설탕을 녹이고 맛을 배합하며 끝없이 새로운 맛을 만들어냈다. 그곳은 공원이 아닌 그의 작업실이었고, 손에 한 움큼 쥔 건 설탕이 아닌 오로라 얼음이었지만, 피페는 굳이 그 사실을 그에게 알리지 않았다. 피페는 그저 작업실 끄트머리에 앉아 그를 바라보았다. 행복한 표정으로 꿈을 거니는 노인을, 그저 멍하니 지켜보았다. 그와 함께 보냈던 마지막 사흘 동안, 피페는 오로라 얼음을 단 한 개도 만들지 못했다.

그는 결국 네 명의 사내에게 붙들려 끌려 나갔다. 발작이 시작된 지 나흘째가 되던 아침이었다.

"볕이 참 좋지?"

그는 여느 때처럼 의자에 기대앉아 피페에게 말을 걸었다.
피페는 애써 웃으며 고개를 끄덕였다.

"이맘때쯤 공원은 빛이 참 좋아. 그래서 다들 아침에 달리나 봐. 신선하고 따스한 빛을 볼 수 있는 시간은 이때뿐이거든."

피페는 다시 고개를 끄덕이며 아랫입술을 꽉 물었다. 지금 무너질 수는 없었다. 어떻게든 버텨야 했다.

그는 바구니를 뒤적이더니 피페에게 오로라 얼음을 하나 내밀었다.

"이건 어제 새로 개발한 사탕. 아주 맛있을 거야. 입에 넣자마자 사르르 녹을걸?"

손 위에 놓인 오로라 얼음 한 알. 피페는 조용히 그것을 주머니에 넣었다.

"왜. 지금 먹지. 지금이 제일 맛있을 텐데."

섭섭함이 가득한 목소리.

"사탕 좋아했던 거 아니었어?"

고개를 갸우뚱하며 묻는 그.
피페는 황급히 고개를 돌렸다. 끝까지 웃자고 다짐했건만, 치밀어오르는 무언가를 막아낼 방법은 없었다.

곧 보안 요원들이 들이닥쳤다. 그는 네 명의 사내에게 붙들려 질질 끌려 나갔다. 그때까지만 해도 얼굴을 드러낸 직원들이 오로라 제작자를 이송하던 시절이었다. 그는 끝까지 발버둥쳤다. 필사적으로 그들을 뿌리치려 했다.

"정당하게 서류도 내고 왔어요. 난 여기서 장사할 권리가 있다고요!"

온몸으로 장정들을 밀치며 저항했지만, 노인의 신체를 한 그가 네 명의 건장한 청년을 이겨낼 방법은 없었다.

"아, 대체 왜 그러냐고, 왜! 왜!"

바락바락 악을 쓰던 그의 음성. 그건 그에 대한 마지막 기억이었다. 피페는 차마 그의 징계 심사에 갈 수 없었다. 그건 그를 향한 마지막 배려였다.

"복권이었대요. 하이고. 정말 있는 놈들이 더 무섭다니까. 그렇게 돈을 잘 벌었으면서, 꿈에 눈이 멀어 한순간에 인생을 날려 먹어요? 참 나."

그의 징계 심사를 다녀온 부아는 짤막하게 소감을 전했다.

"돈이 아니라 행복을 원했던 거 아닐까요."

피페는 조용히 반문했다.

"행복은 무슨. 그냥 한탕주의였던 거죠."

부아의 심드렁한 말에, 피페는 그만 입을 다물었다.

그가 사라진 지 얼마 후, 부아는 피페에게 오로라 얼음을 처방했다. 오로라 얼음을 복용한 후 무슨 수를 써도 좋아지지 않던 피페의 SEND 파동 수치가 다시 원래대로 돌아왔다. 그녀의 오로라 얼음 품질도 날이 갈수록 좋아졌다. 그녀는 이전보다 더 활발하게 오로라 얼음을 생산해내기 시작했다.

오로라 제작소의 공석은 언제나 그렇듯 금세 채워졌다. 그가 사라진 작업실에는 곧 새로운 제작자가 들어왔다. 그리고 그는 삼 년이 채 되기도 전에 사라졌다. 그가 사라진 자리는 곧 새로운 제작자로 채워졌다. 하지만 그도 두 해를 넘기지 못하고 사라졌다. 그가 사라진 자리를 또다시 새로운 제작자가 메꿨다. 그는 이제 막 첫해를 넘기고 있었다.

피페는 그동안 꾸준히 작업실을 지켰다. 언제부터인가 그녀는 단맛을 느끼지 못했다. 그래서 그녀는 더 이상 사탕을 먹지 않았다. 하지만 괜찮았다. 오로라 얼음은 사탕보다 효과가 좋았다. 오로라가 선사한 꿈은 사탕보다 몇 배는 달콤했다. 그녀는 이제 더 이상 사탕이 필요하지 않았다.

그녀는 그렇게 점차 반병신이 되었다. 동시에 성실하고 유능한 제작자가 되었다. 그녀는 자신도 모르는 사이 자신을 조금씩 상실하고 있었고, 그럴수록 그녀는 점점 더 오로라 제작소의 충성스러운 부품이 되어 갔다.

그를 한 번도 잊은 적은 없었다. 하지만 그를 기억한다고 해서 달라지는 것도 없었다. 그는 사라진 부품이었다. 사라진 부품은 아무도 찾지 않았다. 부품이 사라지면 또 다른 부품으로 채워 넣으면 될 일이었다. 공장의 주인은 그런 간단한 문제에 굳이 시간과 공을 들여 애를 쓰지 않았다. 그래서 피페도 그를 의식적으로 기억하지 않았다. 그녀 또한 부품이었다. 언제 다른 부품으로 대체될지 알 수 없는 위태로움 부품. 그는 그녀에게 분명 중요한 사람이었지만, 그녀 자신보다 중요하지는 않았다. 그래서 그녀는 그를 잊었다. 그녀 앞에는 그에게 없던 시간

과 기회가 있었고. 피페는 자신에게 찾아온 기회를 함부로 버릴
수 없었다.

니치 향수

"막대사탕. 기억 안 나요? 공원에서 먹고 있었잖아요!"

억울함 가득한 소로의 목소리. 그녀의 멱살을 한껏 그러쥐고 있던 피페는 서서히 손에 힘을 풀었다.

"막대사탕?"

그녀가 되물었다.

"몇 주 전에. 기억 안 나요? 해가 다 진 저녁. 여기 벤치에 앉아서 막대사탕을 들고 있었잖아요! 한 입 먹고 한숨 쉬고, 한입 먹고 한숨을 쉬면서. 되게 이상해서 기억을 안 할 수가 없었다고요. 누가 사탕을 그렇게 처량하게 먹어요."

피페는 몇 주 전에 했었던 혼자만의 작은 시도를 떠올렸다. 오로라 얼음을 줄여보자고 다짐했던 날, 그녀는 정말 오랜만에 사탕을 샀다. 하지만 단맛을 오랫동안 느끼지 못했던 그녀는 그날 샀던 막대사탕의 맛을 조금도 느낄 수 없었다. 오로라 얼음을 정말 줄일 수 있을까. 피페는 그렇게 중얼거리며 막대사탕 하나를 겨우 끝마쳤다. 입만 텁텁해졌던 불쾌한 시도였다. 소로는 그날 그녀를 봤던 모양이었다.

"사탕을 안 좋아하면, 안 좋아하는 거지. 이렇게까지 화낼 일이에요?"

소로는 입을 삐죽거리며 구겨진 앞섶을 툭툭 털었다.

"미안해요. 정말 미안해요."

피페는 뒤로 물러나며 아득한 목소리로 중얼거렸다.

...

소로는 양손에 들린 사탕을 보며 만족스러운 웃음을 지었다. 한 손에는 막대 사탕이, 다른 손에는 솜사탕이 들려 있었다. 두 개의 사탕을 번갈아 보던 그녀는 솜사탕에 얼굴을 파묻었다. 복실복실한 감촉을 느끼며, 커다랗게 한입을 베어 물었다.

"같은 말을 한 사람이 있었어요."

피페가 지갑을 가방에 밀어 넣으며 말했다.

"남자였어요?"

소로의 질문에 피페는 마지못한 얼굴로 시큰둥하게 답했다.

"공교롭게도 그렇네요."
"어쩐지. 그럴 것 같더라니."

소로는 솜사탕을 입에 넣고 우물거렸다. 입가에 미처 녹지 못한 설탕 부스러기가 묻어났다.

"대단한 사이였나 봐요?"
"머릿속으로 상상하는 게 뭐든 간에 상상으로만 남겨둬요. 그런 건 아니니까."
"그런 사이가 아니었는데 그렇게 격하게 반응했다고요?"
"세상에는 남녀 관계로만 해석할 수 없는 영역도 존재한답니다."
"이를테면?"

피페는 답하지 않았다. 그녀가 말이 없자, 소로는 피페에게로 가까이 몸을 당겨 앉았다.

"직장 동료? 맞죠?"

피페는 여전히 답이 없었다.

"어머, 나 맞았나 봐. 어머, 어머. 오로라 제작소에도 그런 일이 있어요? 하긴. 거기도 사람 사는 데니까, 아무래도."

"사귄 거 아니래도요."

"그래요. 아니라고 치고. 무슨 일이 있었는데요?"

"그런 거 아니에요."

"얘기해 봐요. 들어줄게요. 솜사탕도 사 줬는데. 이야기쯤이야."

"그런 거 아니라니까요!"

피페가 버럭 소리를 질렀다.

"미안해요. 기분을 상하게 하려던 건 아니었는데."

소로가 뒤로 물러나며 사과했다.

"이만 갈게요. 우리 다시는 만나지 말죠."

피페는 한숨을 쉬며 자리에서 일어났다.

"상처는 방치한다고 저절로 낫지 않아요."

나지막한 소로의 말. 피페는 걸음을 멈추었다.

"쓰리고 아파도 연고를 바르고 붕대를 갈아 줘야 해요. 그래야 깨끗하게 아물죠. 그러지 않으면 상처는 반드시 자국을 남겨요. 짙은 흔적이 되어 평생을 따라다닐 거예요."

소로가 마지막 솜사탕 조각을 입에 넣으며 말했다.

"아니요. 어떤 상처는 그렇지 않기도 해요."

피페가 낮은 목소리로 반박했다.

"어떤 상처는 끝까지 지워지지 않아요. 지극정성을 다해 치료해도 결국 흔적을 남기죠. 어떤 상처는 어쩔 수 없기도 해요."
"아니요. 그 말은 처음부터 틀렸어요. 지극정성을 다해 치료한 상처는 절대 흔적을 남기지 않아요. 만약 지극정성을 다했는데도 치료되지 않은 상처라면, 그건 분명 다른 이유가 있어서일 거예요. 지극정성을 다하고 싶어도 미처 보지 못한 부분이 있어 차마 치료할 수 없었던 거죠. 몸속에 박혀 보이지 않는 총알의 파편처럼요."

소로는 빈 막대기를 벤치 옆 쓰레기통에 던져 넣었다.

"피페, 상처가 아물기 위한 중요한 조건 중 하나가 뭔지 알아요? 상처를 만든 원인을 제거하는 거예요. 칼에 베였든, 창에 찔렸든, 총을 맞았든. 치료의 첫 단계에서는 반드시 이물을 제거해야 하죠. 그래야 상처가 완전히 나으니까요. 하지만 몸속 깊이 박힌 파편처럼, 가끔 눈에 보이지 않는 조각을 제거하지 못하면 상처는 안으로 곪아요. 설사 지극정성을 다해서 표면의 상처가 아문다고 해도, 그건 일시적인 눈가림일 뿐이죠. 몸 안에 파편이 박혀 있는 한 상처는 절대 아물지 않을 거예요. 그렇게 곪은 상처는 언젠가 터져 나와 문제를 만들겠죠. 그건 상처를 치료한 게 아니에요. 다만 그럴듯하게 덮어 둔 것뿐."

소로의 말에 피페는 몸을 돌려 그녀를 쳐다보았다.

"내가 상처를 방치하고 있다고 말하고 싶은 건가요?"

소로는 대답 대신 막대 사탕을 한입 덥석 베어 물었다. 우드득. 우드득. 단단했던 설탕 덩어리는 그녀의 입안에 들어가는 순간 힘없이 부서졌다. 빈 막대가 그녀의 입술과 부딪치며 가볍게 쪽 소리를 냈다.

"그럼에도 파편을 간직하고 싶은 거라면 마음대로 해요. 하지만 그래서 결국 남는 게 뭐죠? 아련한 추억? 고결한 희생정신? 거룩한 피해의식? 자기 연민 가득한 측은지심?"
"말 함부로 하지 말아요."

피페가 낮은 목소리로 경고하듯 말했다. 하지만 소로는 어깨를 으쓱하며 자리에서 일어났다.

"말해 봐요. 왜 그렇게 다 같이 약속이라도 한 듯 못 본 척을 하는 거죠? 상처의 원인이 눈앞에 버젓이 있는데? 살 속으로 깊이 파고든 파편들이 또 다른 상처를 만들며 몸을 좀먹고 있는데? 그걸 뻔히 보면서도 왜 아무것도 하지 못하는 거죠? 왜들 그렇게 자신을 내다 버리지 못해 안달인 거예요?"
"내다 버려요?"

피페가 되물었다. 그녀는 천천히 고개를 저었다.

"난 한 번도 날 버린 적이 없어요."

섬뜩할 정도로 차분한 목소리.

"난 단 한 번도 날 버리지 않았어요. 내게는 언제나 내가 먼저였어요. 언제나 나 자신을 최우선으로 생각했다고요. 지금 여기에 있는 나. 현실에서 걷고, 말하고, 일하는 나요. 그렇게 소중한 나! 알아들어요?"

피페는 소로에게 한 걸음 다가섰다. 서로의 숨결이 닿을 정도로 가까운 거리. 피페의 이마와 소로의 이마가 금방이라도 부딪칠 것처럼 아슬아슬하게 스쳤다.

···

피페는 꿈을 본 첫날을 잊지 못한다. 오로라 얼음을 복용하기 시작한 지 이 년하고도 몇 달이 지난 어느 날. 그녀는 처음으로 자신의 꿈을 보았다. 꿈을 보자마자 알 수 있었다. 그건 그녀가 평생 바래 왔던 꿈이었다.

언제나 막연한 모습이었다. 무언가를 바라고 있다는 건 알고 있었지만, 피페는 자신 안에 잠재된 깊은 욕망의 실체를 정확히 알지 못했다. 하지만 꿈에 토크쇼가 등장하는 순간, 피페는 자신이 무엇을 위해 지금껏 살아왔는지를 깨달았다.

그녀는 특별해지고 싶었다. 독보적인 특별함으로 빛나고 싶었다. 모두가 입을 모아 칭찬하며 부러워하는 그런 사람이 되고 싶었다. 그건 그녀가 평생 간직해 온, 내면 가장 깊은 곳에 잠들어 있던 욕망이었다.

삼 층 높이의 극장을 가득 채운 사람들. 오로지 피페를 보기 위해 모인 이들. 그들을 마주하자, 피페 안에서는 무언가가 들끓어 올랐다. 오로라의 꿈에서 그토록 벅차오른 적은 처음이었다. 그날의 꿈에는 질문하는 남자가 등장하지 않았고, 덕분에 그녀는 완벽하게 무대를 마칠 수 있었다. 객석에 있던 사람들은 피페가 무대에서 내려가는 마지막 순간까지 그녀를 위해 환호했다.

그 꿈을 갖고 싶어.

꿈에서 깨어난 후 내뱉었던 첫 마디. 얼굴을 뒤덮은 환한 미소. 도저히 삼켜지지 않는 흥분. 그 진심을 한껏 표출하려던 찰나.

그가 떠올랐다. 오로라 얼음보다 사탕을 선호했던 그. 한 번도 잊은 적 없었지만, 그렇다고 의식적으로 기억해 본 적도 없던 그의 얼굴. 그런 그를 오랜만에 떠올린 순간, 피페는 흉측한 기분에 휩싸였다. 오억 마리의 개미들이 온몸을 타고 기어오르는 것만 같은 기분. 그녀는 황급히 상상큐브에서 뛰쳐나와 몸을 털었다. 벅차오르던 감정은 이미 차갑게 식어 있었다.

그 뒤로도 피페는 같은 꿈을 몇 번이나 반복했고, 꿈에서 깰 때마다 그가 떠올랐다. 오로라의 꿈이 더 실제와 같을수록, 황홀감이 최고조에 달할수록, 현실로 돌아온 후의 피페가 느끼는 흉악한 기분은 깊어져 갔다. 그를 떠올리지 않으려고 갖은 애를 써 봤지만, 오로라의 꿈은 언제나 현실에서 그로 마무리되었다. 가장 행복해야 마땅한 순간, 마음껏 행복해할 수 없다는 건 미칠 것 같은 고통이었다.

백화점은 계획된 일이 아니었다. 피페는 본래 백화점을 그다지 좋아하지 않았다. 오로라 제작소가 직장인 그녀는 온통 오로라로 범벅된 백화점을 편히 즐길 수 없었다. 하지만 꿈을 만난 이후, 그녀는 조금씩 변해 갔다. 그녀는 늘 더 많은 오로라를 원했고, 백화점은 그런 그녀의 욕구를 충족해 주었다. 그녀에게 오로라는 더 이상 월급과 교환하는 노동의 재료가 아니었다. 삶에 활력을 불어넣어 주는 중요한 질료였다.

그래서 그날도 백화점에 갔다. 요즘 들어 충동적으로 백화점에 방문하는 횟수가 늘어나고 있었다. 그녀는 또다시 아무런 목적과 이유 없이 오로라가 입혀진 상품들 사이를 돌아다녔다. 백화점 일 층을 가득 채운 고가 브랜드 상점에도 서슴없이 들어섰다. 그곳은 오로라가 가장 많이 모여 있는 곳 중 하나였다. 그녀의 행색을 보고 막아서려던 점원들은 피페의 팔찌를 보고 모두 군말 없이 물러났다. 피페는 그때마다 은근한 미소를 지었다. 오로라 제작자 팔찌는 모든 문을 여는 열쇠와도 같았다. 그렇게 끝없이 걸으며 엇비슷하게 생긴 물건들을 둘러보던 중, 피페는 한 매장의 홍보 문구에 시선을 빼앗겼다.

오직 당신만을 위한 향을 제작해 드립니다.

니치 향수. 점원은 그렇게 설명했다.

"오직 한 사람만을 위한 향. 저희 브랜드의 슬로건이랍니다. 이곳의 향수는 모두 누군가를 위해 특별하게 제조되었죠."

머리를 깔끔하게 틀어 올린 점원의 낭랑한 목소리. 피페의 손목을 확인한 그녀는 목소리에 좀 더 힘을 주어 상품을 설명했다.

"제작할게요."

피페는 점원의 말이 미처 다 끝나기도 전에 그렇게 말했다. 점원은 입이 찢어져라 웃으며, 피페를 매장 안쪽 깊숙한 방으로 안내했다.

"향수 이름은 무엇으로 하시겠습니까?"
"오로라의 성."
"향수 사용 계약 기간을 다시 한번 안내해 드릴게요. 피페님 향수 단독 사용권은 3년이고, 그 이후에는 사용권이 전환될 예정입니다. 괜찮으실지요?"
"네."

피페는 망설임 없이 계약서에 서명했다. 그들은 '크레즈 (Créez)'라는 글씨가 양각으로 적힌, 매끈하고 하얀 병에 피페의 모든 것을 녹여낸 '오로라의 성'을 담아 주었다. 오로라의 성은 세 가지의 재료로 만들어진 향이었다. 무화과의 이파리와 수선화의 꽃 그리고 회양목의 껍질. 세 가지가 적절히 배합된 향은 피페를 유일하고도 완벽하게 정의했다.

그녀는 모든 곳에 향수를 들고 다녔다. 상상큐브에 들어갈 때조차 그녀는 향수와 함께였다. 부아는 피페의 새로운 습관을 좋아하지 않았다. 향수에 함유된 알코올이 기계에 악영향이라도 끼치지 않을지 걱정했다. 하지만 몇 번의 오로라 얼음 제작 이후, 부아는 생각을 바꾸었다.

"오로라의 성이 생긴 이후로 오로라 얼음 품질이 눈에 띄게 좋아졌네요."

부아는 피페의 오로라 얼음 평가서를 살피며 말했다.

"그래도 가끔은 향수 없이도 얼음을 제작해 봐요. 향수에 매번 그렇게 의존하다 어느 날 갑자기 향수가 없어지기라도 하면 어쩌려고 그래요."

하지만 피페는 그녀의 조언을 듣지 않았다. 그녀는 절대 향수를 포기할 수 없었다. 향수 없는 오로라 얼음 제작은 상상도 할 수도 없는 일이었다. 향수는 피페의 두 번째 오로라 얼음이었다. 오로라 얼음이 꿈에서 행복을 실현해 주었다면, 향수는 현실에서 그 행복을 유지할 수 있도록 해 주었다.

피페는 꿈에서 깨어난 직후 가장 많은 양의 향수를 뿌렸다. 질식할 정도의 양을 온몸에 분사하고서 오로라의 성에 흠뻑 잠겨 들었다. 그렇게 진한 향에 취하고 나면, 그녀는 더 이상 흉측한 기분을 느끼지 않았다. 여전히 오로라의 꿈에서 깨어날 때마다 그가 떠올랐지만, 이제 그녀는 향수로 그를 지울 수 있었다. 몸을 타 넘는 소름 끼치는 오억 마리의 개미 군단도 오로라의 성 앞에서는 옅은 허상에 불과해졌다. 향수는 모든 걸 덮어 주었고, 피페는 더 이상 흉측한 기분에 시달리지 않을 수 있었다.

삼 년은 눈 깜짝할 사이에 흘렀다. 그동안에는 아무런 일도 일어나지 않았다. 피페의 옆방과 그 옆방과 그 옆방의 제작자가 바뀌고, 징계위원회는 하루가 멀다 하고 소집되었지만, 그건 그저 일상의 반복일 뿐이었다.

그렇게 무료한 하루들이 반복되던 중, 어느 날 피페에게로 한 통의 편지가 배달되었다. 집배원 유니폼을 입은 남자가 전해 온 편지였다. 우체부 로봇은 피페가 태어나기 이전부터 상용화되어 있었지만, 향수 회사는 사람 편지 배달부를 고집했다. 집배원은 완벽한 각도로 거수경례를 한 후 타고 왔던 차로 되돌아갔다.

피페는 떨떠름한 얼굴로 편지를 열었다. 분명 향수 회사에서 정기적으로 보내오는 행사 초대권이 들어있을 거라 생각했다. 그렇게 가벼운 마음으로 연 봉투 안에는 까마득히 잊고 있던 서류가 담겨 있었다.

3년의 단독 사용 기한이 만료됨에 따라 사용권이 전환됨을 알려 드립니다.

첫머리에 적힌 말. 머리를 세게 얻어맞은 것 같았다. 날짜를 세지 않은 건 아니었다. 가끔 달력을 뒤적이며 향수의 사용 만료 기한을 헤아려 보기도 했었다. 하지만 삼 년은 긴 시간이었고, 향수 회사와 했던 약속은 기억 속에서 서서히 옅어져 갔다.

그리고 다가온 오늘. 피페는 편지를 손에 쥔 채 어찌할 바를 몰라 했다. 숨을 제대로 쉴 수가 없어 벽을 짚고 겨우겨우 집 안으로 들어갔다. 그녀는 며칠 동안 정신을 차릴 수 없을 정도로 심하게 앓아누웠다.

"나의 향수. 내 하나뿐인 향. 나의 오로라의 성을 돌려줘."

피페는 침대에 있는 내내 같은 말을 중얼거렸다. 가족들은 그런 그녀를 걱정했다. 한 번도 그녀를 걱정한 적 없던 그들이었다.

향수 배송은 예년과 같이 진행될 예정입니다. 정기 배송을 더 이상 원치 않으시는 경우에는 계약 만료로 처리되며, 제작하신 향수는 모든 매장에서 자유롭게 구매하실 수 있습니다.

그들은 서류에 있는 문구를 보여주며 피페를 안심시켰다. 피페의 향수가 세상에서 사라지는 것이 아니며, 그저 사용권이 전환되는 것뿐이라는 사실을 인지시키려 했다.

"언제든 살 수 있어. 네가 원하면 언제든. 사다 줄까? 원하면 지금 당장 갈게."

하지만 피페는 그들의 말이 귀에 들어오지 않았다. 사용권 전환은 그녀의 향수가 세상에서 사라진다는 말과도 같았다. 그녀만의 것이 아닌 '오로라의 성'은 더 이상 아무런 의미가 없었다. 가족은 그런 피페의 설명을 이해하지 못했다. 피페도 그들이 자신을 이해하길 기대하지 않았다.

편지가 배송된 이후, 피페는 날마다 그를 마주해야만 했다. 꿈에서 깰 때마다 밀려드는 흉측한 기분. 몸을 타고 올라오는 오억 마리의 개미 군단. 오랜 습관을 버리지 못해 여전히 꿈에서 깰 때면 향수를 뿌려댔지만, 향은 더 이상 아무런 위력도 발휘하지 못했다. 그녀는 자신을 제어할 모든 방법을 상실해 버렸다. 그녀가 할 수 있는 일이라고는 다만 밀려드는 고약한 감정을 온몸으로 받아내는 것뿐이었다.

남자가 꿈에 등장한 건 그로부터 얼마 지나지 않아서였다. 시작은 갈색 페도라였다. 무대가 끝나고 관객의 환호가 울리는 시간, 피페는 관객들 틈에 섞여 있는 갈색 페도라를 보았다. 미동도 없이 서 있는 갈색 모자를 보자마자 역한 구역감이 들었다. 최대한 참아 보려 애를 썼지만, 그녀는 결국 무대 위에서 모든 것을 쏟아내고 말았다. 꿈에서 깨어난 그녀는 자신이 현실에서도 토사물 위에 누워있다는 사실을 깨달았다.

몇 달에 한 번 찾아왔던 악몽은 점차 주기가 짧아졌다. 꿈에 등장하는 남자의 모습은 점점 더 선명해졌다. 갈색 페도라를 쓴 그는 오렌지색 정장 자켓과 검은색 셔츠, 검은색 바지와 갈색 구두, 청록색 브로치와 얇은 금색 버클이 달린 진갈색 벨트를 하고 있었다. 꿈이 거듭될 때마다 그가 서 있는 위치도 그녀와 가까워졌다. 삼 층에 있던 그는 몇 달이 지나자 이 층으로 내려왔고, 곧 일 층 맨 끝 좌석을 차지했다. 한 줄씩 자리를 앞당기던 그는 어느 날 마이크를 집어 들었고, 그의 질문은 피페를 뒤흔들어 놓았다.

가벼운 악몽 정도로 시작되었던 지독한 꿈은 곧 발작이 되었고, 부아는 그걸 '꿈 몸살'이라 불렀다. 하지만 피페는 알고 있었다. 그건 꿈 몸살이 아니었다.

그는 절대 꿈 몸살이 될 수 없었다.

옆집 할아범

"당장 이리 오지 못해요!"

피페는 숨을 헐떡이며 공원을 가로질렀다. 필사적으로 소로를 쫓았지만, 그녀가 다가가려 하면 할수록 소로는 재빠르게 멀어져 갔다.

눈 깜짝할 사이에 벌어진 일이었다. 소로는 피페의 가방을 낚아채 달아나기 시작했다. 피페는 그녀를 뒤쫓았지만, 잽싸게 도망치는 젊은 신체를 이길 수는 없었다. 그들은 한참을 내달리며 공원의 깊숙한 곳까지 파고들었다. 인공 잔디의 가장 반대편에 있는 숲의 구역. 이용객도 많지 않아 늘 으스스한 분위기가 감돌던 곳. 공원을 그토록 자주 오가는 동안 단 한 번도 가 본 적 없는 곳이었다.

하지만 지금은 사정이 달랐다. 구릉과 비탈을 지나 좁은 숲길이 나타났지만, 피페는 멈출 수가 없었다. 그녀에게는 선택권이 없었다.

"얼른 대답부터 해요!"

소로가 다시금 저만치 멀어지며 소리쳤다.

"그걸 어떻게 증명해요! 애초에 이런 변명을 하고 있다는 것 자체가 우습네요. 내가 날 버리지 않았다는 사실을 증명하라고요? 그걸 대체 어떻게 증명하죠?"
"증명할 방법을 찾지 못한다는 것 자체가 이미 증명할 수 없는 것 아닌가요?"
"말장난은 그만둬요. 대체 며칠 전부터 왜 이러는 거예요? 날 알지도 못하면서. 며칠 전에 공원에서 만나지만 않았다면, 우린 평생 모르는 사이였을 거예요!"
"그게 인생이죠, 피페. 평생 모르는 사이인 줄로만 알았던 사람들이 생각보다 긴밀한 관계일 수도 있다는 거. 육 단계의 법칙 몰라요? 여섯 다리만 건너면 모든 사람은 지인이라는 사실. 여섯 다리까지 갈 것도 없어요. 세 단계나 네 단계만 거쳐도 우리는 모두 아는 사이가 되죠."
"허튼소리 좀 그만해요. 멈춰요, 제발. 멈추라고요!"

피페는 턱 끝까지 차오른 숨을 감당할 수가 없어 결국 달리는 것을 멈추었다. 근처 나무를 붙잡고 숨을 거세게 몰아쉬었다.

뒤따라오던 발걸음 소리가 들리지 않자 소로도 저 앞에서 멈춰 섰다.

"숲이네요, 피페. 여기까지 와 본 적 있어요?"

피페는 대답 대신 심장을 부여잡고 숨을 골랐다. 하지만 소로는 그녀의 답을 기다리지 않았다.

"요새는 다들 인공 잔디에만 시선을 빼앗겨서 이곳에 숲이 있다는 사실조차 알지 못해요. 사실 공원이 처음 만들어지게 된 이유가 바로 이 숲인데 말이죠. 하지만 그 사실을 기억하는 사람은 많지 않아요. 공원 입구에 있는 인공 잔디가 모든 이목을 앗아가 버렸거든요. 그들 잘못은 아니에요. 인공 잔디는 우리가 여태 보지 못했던 아름다움이니까요. 드넓게 탁 트인 초원, 한 치의 오차도 없는 정갈하고 일정한 풀, 벌레 한 점 없는 깔끔한 공기. 그 앞에서 넋을 잃는 건 어쩌면 당연한 일이에요."

소로는 숲을 바라보았다. 봄에서 여름으로 흘러가는 계절 속에서 나무들은 본격적으로 푸른 이파리를 틔워내고 있었다.

"하지만 말이죠, 피페. 그래도 한 명 정도는 그것이 인공 잔디임을 알아차리길 바랐어요. 모두가 잔디의 아름다움을 감상할 때, 난 사람들을 관찰했죠. 하지만 인공 잔디에 이질감을 느끼는 사람은 한 명도 없더군요. 단 한 명도요. 하지만 피페,

그건 인공 잔디에요. '인공' 잔디. 그곳에 풀은 한 포기도 없어요. 전부 만들어진 풍경일 뿐이죠. 진짜 같은 눈속임에 홀려, 사람들은 이곳에 숲이 있다는 사실조차 잊어버렸어요. 덕분에 이곳은 오랫동안 방치되었죠. 표지판은 부서졌고, 길은 군데군데 끊어졌죠. 이젠 아무도 이곳을 찾지 않아요. 사람들에게는 더 이상 숲이 필요하지 않거든요. 숲을 대체할 인공 자연물이 지천에 널려 있으니까요."

어디선가 세찬 바람이 불어와 피페를 덮쳤다. 그녀는 몸을 한껏 웅크린 채로 바람에 맞섰다. 펄럭이는 외투가 바람에 휩쓸리지 않도록 단단히 움켜쥐었다.

숲길에 더 이상 아무도 들어오지 않는 이유를 알 것만 같았다. 이곳은 모두가 제멋대로였다. 흙 한 줌과 바람 한 줄기까지. 무엇 하나 예상대로 움직이는 법이 없었다. 바람에 휩쓸린 낙엽은 옷에 자꾸만 달라붙었고, 흩날리는 먼지들은 얼굴을 할퀴었다. 인공 잔디로 만들어진 초원에서는 있을 수 없는 일이었다. 그곳을 구성하는 모든 것들은 각자의 목적에 맞춰 움직였다. 바람은 땀을 식힐 수 있을 정도로 유순했고, 풀은 눈을 즐겁게 해 줄 정도까지만 자라났다. 그곳에 흙먼지나 거친 바람 따위는 없었다. 인공 초원에는 무가치한 부산물이 존재할 수 없었다.

"내가 인공 잔디를 보고 있는 게 못마땅했나요? 그래서 이러는 거예요?"

정신없이 뛰던 심장이 조금 진정되자 피페가 물었다. 하지만 소로는 피페의 질문에 허탈하게 웃었다.

"당신들 말이죠, 당신들은 늘 똑같아요."

한숨을 내쉬며 소로가 말했다.

"세상 똑똑한 척하는 바보들이죠. 진짜 문제가 눈앞에 있는데도 그걸 보지 않으려고 애를 써요. 지금도 봐요. 피페. 난 피페에게 화를 내고 있지 않아요. 난 피페에게 화가 난 게 아니라고요. 진짜 문제가 뭔지 아직도 모르겠어요?"

소로는 비탈길의 가장 높은 곳에서 피페를 내려다보았다.

"어릴 적 옆집에 한 할아버지가 살았어요."

소로의 목소리가 바람을 타고 전해졌다.

"우리는 늘 아침마다 엘리베이터에서 마주쳤죠. 난 그의 손을 잊지 못해요. 손에는 언제나 물집이 가득했어요. 무언가에 데였는지 검붉은 화상 자국들도 있었죠. 상처를 보다 못한 어느 날 집에 있던 연고를 몰래 챙겨 할아버지께 드렸어요. 손이 너무 아파 보인다고. 연고 좀 바르시라고. 할아버지는 껄껄 웃으며 말했죠. 생각해 주는 마음은 고맙지만, 연고는 매일같이 바르고 있다고. 걱정 안 해 줘도 된다고. 그러면서 사탕을 하나 쥐여 줬어요."

"사탕?"

"그래요, 사탕. 그날부터 그는 아침 인사처럼 사탕을 건넸죠. 가끔은 새로운 맛을 개발했다며 자랑하기도 했고요. 사탕이 아주 맛있다고 엄지를 치켜세우는 날에는 기분이 한껏 좋아진 얼굴로 어깨를 흥겹게 들썩이기도 했어요."

소로는 잠시 말을 멈추고 숲을 응시했다. 과거의 시간이 떠오르기라도 한 듯이.

"나중에서야 알게 됐어요. 그 할아버지는 오로라 제작자였고, 대학을 갓 졸업한 막내 삼촌과 동갑이었다는 사실을요."

그녀는 피페를 돌아보았다.

"그 할아버지가 어떻게 되었는지 아세요?"

피페는 아무런 답도 하지 못했다.

"그러시겠죠."

소로가 짧게 말했다.

"할아버지는 늘 입버릇처럼 물었어요. 사탕을 먹으면 행복하지? 그렇지? 전 매번 그렇다고 답했죠. 할아버지의 사탕은 정말로 달콤했거든요. 매일 아침이 기다려질 만큼. 그는 세상을 이해할 수 없다고 했어요. 이렇게 손쉬운 행복이 곁에 있는데 왜 허상의 행복에 다들 목을 매는지 알 수 없다고 했죠. 사탕은 적어도 맛이라도 느껴지지, 그들의 행복은 전부 아무런 모양도 냄새도 맛도 없어. 그렇게 말했죠. 그 말을 하는 할아버지의 목소리에는 언제나 짙은 그늘이 배어 있었어요. 당시 학생이었던 저도 느낄 수 있었을 만큼."

소로는 짧게 한숨을 내쉬었다.

"그러던 할아버지의 눈에 어느 날부터인가 생기가 돌기 시작했어요. 한 소녀를 만났다고 했죠. 할아버지의 사탕을 받아 준 두 번째 사람이라고요. 저랑 꼭 닮았다고 했어요. 전 기뻤어요. 누군가 할아버지의 맛 좋은 사탕을 알아봐 주는 건 기쁜일이었으니까요. 종종 사람들이 사탕을 거절한다며 시무룩하게 말하곤 했거든요. 사탕에 정말 많은 공을 들였는데 아무도 모른다며 자주 고민을 털어놓았죠."

그녀는 잠시 말을 멈추고 피페를 반히 쳐다보았다.

"다음 이야기는 굳이 하지 않아도 알고 있죠?"

피페는 굳은 얼굴로 소로를 보았다.

"그를 만났었군요."
"네, 맞아요. 그를 만났었어요."
"그리고 어느 날 그가 사라졌고요."
"피페의 삶에서 그랬던 것처럼, 제 삶에서도 사라져 버렸죠."

"그래서 내게 화가 난 건가요? 전부 나 때문인 것 같아서?"

소로는 답을 하지 않았다. 피페는 소로를 향해 변명하듯 손을 뻗어 보였다.

"날 원망하고 싶은 거면 그렇게 해요. 하지만 당신이 본 게 전부는 아니에요. 그것만큼은 확실하게 말할 수 있어요."

피페의 표정은 단호했지만, 목소리는 가늘게 떨리고 있었다.

"또, 또, 또!"

소로는 버럭 소리를 질렀다.

"오로라 제작자들. 당신들은 어쩌면 그렇게 한결같아요?"

소로가 성큼 다가서자 발밑에서 흙가루가 흩어져 날렸다.

"화가 나지 않던가요? 분노가 일지 않던가요? 피페, 그는 지금 병동에 있어요. 오로라 제작소에서 세운 수용소에 감금되었죠. 방출된 오로라 제작자들이 이송되는 그곳으로요. 그건 사람들에게 알려진 그의 마지막 모습이죠. 그로부터 몇 년이 흐른 지금, 그에 대해 말하는 사람은 아무도 없어요. 아무도요. 심지어 그의 가족조차 그를 잊어버렸죠. 그는 처음부터 없는 사람이 되어 버렸어요. 피페, 그게 오로라 제작자의 현실이에요. 세상이 알지 못하는 진짜 오로라 제작자는 그런 모습이라고요. 모두가 선망하고 존경하는 듯 보이지만, 오로라 제작소에서 나오는 순간 그들은 사람조차 될 수 없죠."

소로가 애원하듯 물었다.

"아직도 뭐가 문제인지 정말 모르겠어요?"

다시 한차례의 바람이 불었다. 이번에도 피페는 몸을 잔뜩 웅크렸다.

"피페, 그가 왜 그토록 복권을 원했는지 알아요?"

소로의 목소리가 세찬 바람을 뚫고 흘러왔다.

"당신은 알고 있잖아요. 내가 알고 있는 것처럼. 그는 돈을 원한 게 아니에요."
"행복을 원한 거죠."
"자유를 원한 거죠."

피페와 소로의 답이 엇갈렸다. 바람은 이제 잦아들어 있었다.

"소로, 난 함부로 분노할 수 없었어요, 당신이 오로라 제작자에 대해 조금이라도 안다면. 내 상황을 조금이라도 이해할 수만 있다면. 내가 그럴 수 없었다는 걸 알 거예요. 난 할 수 있는 모든 방법으로 그를 위했어요. 정말이에요."
"아니요, 피페. 당신은 조금도 그를 위한 적 없어요."

소로가 고개를 저으며 말했다.

"피페. 그가 바랐던 건 단 하나였어요. 당신 하나만큼은 미치지 않는 것. 그는 당신을 지키고 싶어 했어요. 그와 달리 당신에게는 기회가 있었으니까요. 하지만 당신은 그와 똑같은 덫에 걸려들었죠. 하지만 당신은 그와 달랐어요. 그는 자신이 선택이 무엇을 의미하는지 몰랐지만, 당신은 자신이 택한 게 뭔지를 정확하게 알고 있었거든요. 하지만 한 번도 그걸 뿌리치려 하지 않았죠. 진실이 가까워지려 할 때마다 눈을 가리면서요. 당신의 행동이 어떤 의미였는지는 아마 당신이 더 잘 알거예요. 피페, 당신은 그의 모든 시간과 노력을 아무것도 아닌 걸로 만들어버렸어요. 그리고 그건 전적으로 당신의 선택이었죠."

피페는 조금씩 호흡이 가빠지는 걸 느꼈다. 흉측한 기분이 다시금 몰려오고 있었다. 오억 마리의 개미들은 끈적한 점액질이 되어 발목을 타고 올라왔다. 그녀는 세차게 발을 털었지만, 한 번 들러붙기 시작한 미끄덩한 덩어리는 그녀를 놓아주지 않았다.

"난 미치지 않았어요."

피페가 날카롭게 말했다.

"아니요, 피페. 당신은 미쳤어요."
"난 미치지 않았어요! 미치지 않았다고요!"

그녀는 고개를 세차게 저었다.

"특별함은 우리에게 주어진 숙명 같은 거였어요!"

피페의 목소리가 공기를 뚫고 하늘로 치솟았다.

"부인하지 않을게요. 난 그가 당부한 대로 살지 않았어요. 하지만, 소로. 세상에는 양립 불가능해 보일지라도 함께 두고 지켜보아야 하는 것들이 있어요. 내게는 그가 그랬어요. 그는 정말로 고마운 사람이에요. 그가 없었더라면, 난 지금까지 오로라 제작자로 살지 못했을 거예요. 이미 오래전에 세상에서 삭제되었거나 병동 신세를 지고 있었겠죠. 하지만 소로. 삶은 하나로만 정의될 수 없어요. 나의 삶도 그래요. 그의 삶에 나와 당신이 있었던 것처럼, 나의 삶에도 그보다 더 많은 것들이 있었어요."

피페는 말을 이어갔다.

"특별한 사람. 육 년 동안 상상학교를 다니면서 지겹도록 들었던 말이에요. 학교 안에서도 밖에서도, 그리고 가족들에게까지도. 나는 특별한 사람이었어요. 우리는 특별한 사람이었죠. 모든 오로라 제작자들은 나와 같은 삶을 살았으니까요. 오로라 제작자로 발탁되는 사람들은 세상에 0.01%밖에 없었거든요. 0.01이라는 희귀한 숫자는 마법처럼 우리의 눈을 가리고 모든 감각을 마비시켰죠. 상상학교를 다니며 우리는 정말 우리가 특별한 줄로만 알았어요. 하지만 그건 완벽한 거짓말이었죠."

그녀가 고개를 들어 소로를 보았다.

"소로, 전 인류의 0.01%가 몇 명인 줄 알아요? 무려 70만이에요. 그럼 오로라 제작소에서 근무하는 사람은 총 몇 명일까요? 오만 명. 최대 오만 명이에요. 전 세계 오로라 제작소를 통틀어도 오만 명을 넘은 적은 단 한 번도 없죠. 그럼 한 해에 공식적으로 고용되는 제작자의 수는요? 많아 봐야 이백 명이 좀 안 돼요. 전 세계에 있는 오로라 제작소를 전부 합해도요. 그럼 전 세계에서 한 해에 상상학교를 졸업하는 학생은 총 몇 명일까요?"

피페는 소로의 답을 기다리지 않았다.

"천 명이에요, 소로. 천 명. 생각해 봐요. 졸업생은 천 명인데 그중 많아야 이백 명만 고용된다고요. 그럼 남은 팔백 명의 사람들은요? 그들은 어떻게 해야 할까요? 그들이 평생 배운 거라곤 꿈을 꾸는 일밖에 없는데 말이에요."

소로는 여전히 침묵했다.

"우리는 오래도록 기다려요. 오로라 제작소에 자리가 날 때까지 기본 몇 개월, 최대 몇 년을 기다리죠. 단순 노동일을 전전하거나 나라에서 주는 생활 급여로 근근이 버티면서요. 기다리는 시간은 불안하고 초조하지만, 그래도 대부분은 잘 견뎌요. 결국 차례는 돌아오고야 마니까요. 오로라 제작소에는 미친 사람들이 넘쳐나고, 매달 정기적으로 비공식적인 공석이 생기죠. 덕분에 모든 상상학교 졸업생은 일할 기회를 얻게 돼요. 이렇게 공평한 직업도 또 없죠. 그런데요, 소로. 이런 축복 같은 시스템의 문제가 뭔지 알아요?"

"뭐죠?"

"모두가 오로라 제작소에 감사하게 된다는 거예요."

피페는 넋두리하듯 읊조렸다.

"한참을 기다려요. 끝없이 기다리죠. 그 끝에 받게 되는 보상은 기다린 시간만큼 달콤해요. 오로라 제작자만 되면 가족 전부가 편하게 먹고살 수 있으니까요. 일을 할 수 있는 시간이 기껏해야 오 년이라고 해도, 그 오 년 동안 벌어들인 수익은 온 가족의 노후 자금이 되죠. 풍족하게 살지는 못하지만, 그래도 배곯지 않고 살아갈 수 있으니까요. 그러니 모든 오로라 제작자는 발령이 나는 순간부터 오로라 제작소에 감사하게 돼요. 오로라 제작소, 그들은 구원자거든요."

피페는 호소하듯 물었다.

"소로, 그러니 우리가 어떻게 오로라 제작소에 반기를 들 수 있겠어요?"

그녀의 목소리에는 점점 더 힘이 실렸다.

"그래요. 오로라 제작소는 끝없이 사람을 버려요. 명예퇴직이라고는 하지만, 그게 퇴직이 아니라는 사실을 모르는 사람은 없죠. 하지만 그걸 안다고 해서 달라지는 게 있나요? 우리가 대체 뭘 할 수 있죠? 다 같이 합심해서 오로라 제작소를 불태우기라도 할까요? 그럼 뭐가 남나요? 그리고 가족들은요? 오로라 제작자가 없으면 살 수 없는 사람들, 우리만 바라보고 있는 사람들은요? 소로, 오로라 제작자들도 사람이에요. 그들은 정의롭도록 프로그래밍 된 로봇이 아니라고요. 당신의 눈에는 지독한 고집처럼 보일지 몰라도, 우리는 우리가 할 수 있는 최선을 다하고 있어요. 정말이에요."

소로는 피페를 물끄러미 내려다보다 입을 열었다.

"사람."

그녀가 속삭이듯 말했다.

"사람이라고 했죠, 피페. 그럼 반대로 물어보죠. 지금 오로라 제작소에서 같이 일하는 동료들 중, 얼굴을 알아볼 수 있는 사람이 몇 명이나 되나요? 몇이나 남았죠?"

피페는 답을 하지 못했다.

"그래요."

소로가 말했다.

"없겠죠. 없을 거예요. 당신과 함께 오로라 제작소에 들어온 사람들. 그들은 이제 전부 그곳에 없을 테니까요. 매해 오백 명의 사람들이 새로 들어온다고 했죠? 그럼, 피페. 당신도 분명 사백구십구 명의 사람들과 함께 오로라 제작소에 입사했을 거예요. 비공식적으로 입사한 사람까지 합하면 그보다 더 수가 늘어날지도 모르죠. 하지만 그들 중 이제 오로라 제작소에 남아있는 사람은 단 한 명도 없어요. 전부 병동으로 이송되어 가장 기본적인 권리도 보장받지 못한 채 살아가거나 고통스러운 시간을 견디다 못해 세상을 떠났을 거예요. 무려 사백구십구 명의 사람들이요. 그리고 그건 고작 겉으로 드러난 숫자일 뿐이죠."

소로의 입술이 파르르 떨렸다.

"피페. 당신은 생존자예요. 십 년이 넘도록 그곳을 지키며 모든 것을 지켜본 몇 안 되는 유일한 사람이죠. 그동안 얼마나 많은 이들이 연기처럼 스러지던가요? 얼마나 많은 이들이 기초적인 존엄성마저 보장받지 못한 채 버려지던가요? 피페, 당신은 그들이 실시간으로 몰락하는 과정을 지켜봤어요. 처음부터 끝까지 전부 다요. 전부 다!"

소로의 목소리가 서서히 높아졌다.

"그러고도 아무런 자각조차 하지 못했죠. 행동까진 바라지도 않아요. 혼자서 행동하기란 쉽지 않은 일이었을 테니까요. 하지만 당신은 매번 같은 장면을 보면서도 그게 이상하다고 느끼지조차 못했어요. 그저 오로라의 꿈에만 정신이 팔려 누가 사라지든 없어지든 그저 넋 놓고 보고만 있었죠. 왜? 당신의 성공이 그들의 삶보다 훨씬 중요했으니까! 당신의 은퇴! 유명해질 기회! 오로지 그것들만이 당신을 살아있게 했으니까! 그러니 그 외의 것들은 눈에도 들어오지 않았던 거죠. 뭐가 문제인지 생각조차 해 보지 않았을 테죠. 왜 그들이 사라지고, 왜 그리도 고통받아야 하는지! 당신은 그가 스러지는 과정을 그렇게 가까이에서 목격해 놓고도 한 번도 궁금해하지 않았어요. 단 한 번도!"

소로는 거친 숨을 몰아쉬었다.

"사람? 피페, 당신이 그러고도 사람을 논해요?"
"소로, 다시 한번 말하지만.."
"당신에겐 충분한 시간이 있었어요!"

피페의 말을 짓누르며 소로가 꽥 소리를 질렀다.

"자그마치 십 년이에요, 피페. 자그마치 십 년. 십 년은 충분히 긴 시간이에요. 하지만 당신은 아무것도 하지 않았죠. 아무것도요. 당신이 왜 그랬는 줄 알아요, 피페?"

소로는 깊은숨과 함께 말을 내뱉었다.

"당신은 고작 그것뿐이거든요."

소로는 어깨에 메고 있던 피페의 가방을 끌어 내렸다. 가방끈을 손에 쥐고서 빙빙 돌렸다. 회전하는 팔을 따라 가방이 원을 그리기 시작했다. 가방이 가장 높은 곳으로 향했을 때, 소로는 가방을 쥐고 있던 손을 놓았다. 인조 가죽으로 만들어진 작은 가방은 공중을 가르며 날아갔다.

"바보는 나였는지도 몰라요. 조금이라도 말이 통할 거라 생각했으니. 피페, 난 당신의 꿈을 읽었어요. 내겐 그럴 기회와 권한이 있었죠. 그래서 당신은 다를 거라 생각했어요. 그가 희망을 걸었던 몇 안 되는 사람들 중, 당신 같은 꿈을 꾸는 이는 없었으니까요. 비록 표현하진 못해도 알고 있을 거라 생각했죠. 하지만 제가 틀렸네요. 피페, 당신은 몰라요. 그리고 아마 끝까지 모를 테죠. 어쩌면 그게 나은 일일지도 몰라요. 평생을 모범적인 오로라 제작자로 살았으니, 마지막까지 같은 모습을 보여주세요. 적어도 일관되게 사세요. 이건 내 마지막 부탁이에요."

포물선을 만들며 날아오르던 가방은 정확히 피페 앞에 떨어졌다. 가방의 덮개가 열리고, 안에 있던 내용물들이 바닥으로 쏟아졌다. 새하얗고 매끈한 향수병이 내리막길을 따라 굴러 내려가기 시작했다. 피페는 재빨리 다리를 뻗어 향수병을 멈춰 세웠다. 낙엽 사이에 파묻힌 향수병을 집어 들었다. 티끌 하나 없던 병은 어느새 검은 먼지로 뒤덮여 있었다. 피페는 병의 표면에 붙은 얼룩을 털어냈다.

"고작."

피페는 문득 중얼거렸다. 고작. 고작. 고작. 같은 말을 몇 번이고 되뇌었다. 고개를 들었다. 소로는 정제되지 않는 흙길을 밟으며 가파른 언덕을 걸어 올라가고 있었다.

멀어져 가는 소로의 뒷모습을 바라보며 피페는 깨달았다.
그녀는 미쳐 있었다. 여태 그녀만 몰랐을 뿐.

부아 말이 맞았다. 그건 꿈 몸살이었다.

딱정벌레 브로치

땅 위를 구르는 가방을 집어 먼지를 털었다. 가장자리에 엉겨붙은 흙덩이들이 우수수 쏟아졌다.

고작 그것뿐입니까?

머릿속에서는 하나의 질문이 되풀이되고 있었다. 피페는 이제 그 질문의 의미를 알게 되었다. 어쩌면 처음부터 알고 있었는지도 몰랐다. 다만 모른 체 했던 것뿐.

피페는 그가 지내는 병실 앞까지 간 적이 있었다. 두꺼운 유리 너머로 보이던 그의 모습. 그는 딱딱한 타일 바닥에 앉아 무언가를 즐겁게 만들고 있었다. 사람 하나가 겨우 몸을 누일 수 있는 비좁은 방. 방 안에는 아무것도 없었지만, 그는 계속해서 무언가를 만들어냈다. 피페는 그런 그를 물끄러미 바라보다 곁에 있던 직원에게 물었다.

"잘 지내나요?"

직원은 그렇다고 답했다. 가끔 정신이 돌아올 때면 난동을 부리긴 하지만요. 대체적으로는 온순해요.

"언제 가장 행복해 보이나요?"

상대는 한 치의 주저함도 없이 답했다.

"사탕을 만들고 있을 때요."

그는 피페가 원하는 답을 해 주었다.

그래. 행복하니까. 그는 지금 행복하니까. 그거면 된 거야.

굳이 현실을 보게 할 필요는 없다고 생각했다. 그의 꿈은 완벽했고, 그는 그 안에서 행복했다. 그건 현실이 결코 안겨줄 수 없는 종류의 행복이었다. 그래서 피페는 그를 그곳에 두었다. 그가 가족에게도 버려지고, 사회에서도 잊힌 채로 고립될 것을 알았지만, 그녀가 할 수 있는 일은 없었다. 그녀는 일개 오로라 제작자일 뿐이었다.

해가 거듭될수록 피페는 점차 새로운 사실들을 알게 되었다. 오로라 제작소는 그가 말했던 것보다 훨씬 더 견고하고 단단한 곳이었다. 분명 그의 말처럼 결함과 비리가 넘쳐났고, 정당하지 못한 일들이 자행되었지만, 그들은 감추어야 할 부분과 내보여야 할 부분을 정확하게 알고 있었다. 오로라 제작소는 영리하게 세상을 제어하는 방법을 알았다. 그들은 겉치장에 노력을 아끼지 않았고, 내부의 균열이 일어날 때마다 금세 해결 방안을 내놓았다. 그들의 성벽은 굳건하고 정교했다. 한두 번의 어리석은 시도로는 절대 그들을 무너트릴 수 없었다.

그가 했던 말과 생각은 정당했다. 끓어올랐던 반발심도 충분히 이해할 수 있었다. 하지만 그는 대책 없이 무모했다. 정의로움만으로는 어떠한 성도 건설할 수 없었다. 그토록 묵직한 질량을 감당하기에 세상의 지반은 너무 무르고 약했다. 이곳에서 자신만의 성을 짓고 싶다면 현명해져야 했다. 오로라 제작소가 줄곧 그래 온 것처럼. 직접 성을 짓지 못할 거라면 이미 지어진 성에 사는 것도 그리 나쁜 선택은 아니었다.

그래서 피페는 그를 교훈으로 삼았다. 그는 피페에게 중요한 사실을 알려 주었다. 기반 없는 성을 지으려 하다가는 결국 지층 아래로 빨려 들어갈 뿐이라는 것. 함부로 이기지 못할 거라면 순응해야 한다는 것. 그가 남긴 교훈은 피페를 오래도록 제작자로 살게 했다. 그가 사라진 후, 그녀는 더 이상 허튼 마음을 먹지 않았고, 덕분에 안전하게 오랜 시간을 버틸 수 있었다.

적어도 그 남자가 꿈에 나타나기 전까지는.

고작 그것뿐인가요?

다시 떠오른 질문. 피페는 양손으로 머리를 움켜쥐었다.

그가 사라진 후, 피페는 얼마간 생존에만 매진했다. 하지만 오로라 제작자로 사는 세월이 길어질수록 그녀의 삶은 조금씩 바뀌어 갔다. 경력이 만으로 오 년이 넘어가면서부터, 그녀를 보는 사람들의 눈빛이 달라지기 시작했다. 오로라 제작자로 오 년을 채운 사람이 많지 않기 때문이었다. 피페는 위아래 선후배와 동기들을 통틀어 유일하게 제작소에 남아있는 제작자였다. 사람들은 점차 피페를 다르게 평가했다. 하나둘씩 나타난 낯선 얼굴들은 피페를 존경심 어린 눈으로 보았다. 적은 수이긴 했지만, 피페를 롤모델이라고 하는 이도 있었다. 피페는 그때마다 괜한 소리라며 손사래를 쳤지만, 그 말들이 싫지만은 않았다. 그때쯤 오로라의 꿈이 그녀를 찾아왔고, 그녀는 그 꿈이 현실이 될 수 있으리라 믿었다.

"향수. 이거 맞죠? 무화과랑 회양목. 어제 드디어 만들었어요. 저도 이제 뿌리고 다니려고요."

언젠가 후배 제작자 중 하나가 피페의 향수병과 똑같이 생긴 병을 들고 나타난 일이 있었다. 피페가 롤모델이라고 매번 떠벌리고 다니던 사람이었다. 그는 겉에 적힌 문구까지 완벽하게 같은 향수병을 들고서 피페를 찾아왔다. 피페는 자신과 똑같은 디자인의 병을 들고 나타난 그가 상당히 언짢았지만, 그 사실을 굳이 겉으로 표 내지는 않았다. 그저 인자하게 웃으며 기다렸다. 그리고 인내는 값진 결과로 되돌아왔다.

오로라 제작소에 오래 남겠다며 피페를 따라 향수까지 제작했던 그는 결국 꿈을 이겨내지 못했고, 징계위원회를 거쳐 세상에서 사라졌다. 그는 향수의 진정한 사용법을 알지 못했고, 어설픈 모방은 실패로 이어졌다. 그의 징계 심사가 이루어지던 날, 피페는 남몰래 안도했다. 향수는 그렇게 다시 온전한 그녀만의 전유물이 되었다.

　향수가 그녀를 오래 버틸 수 있게 해 주었던 이유는, 그 안에 담긴 향이 피페를 특별하게 만들어주기 때문이었다. 세상에 오직 하나뿐인 유일한 향. 그 향은 그녀의 특별함을 증명하는 증표와도 같았고, 위태로운 오로라 제작소 생활을 지탱하는 힘이 되어 주었다.

　특별함, 그건 한 때 피페를 정의하는 모든 것이었다. 그녀가 믿었던 특별함이란 남들과 다른 독보적이고 뛰어난 무언가였다. 모두가 입을 모아 인정하는 남다른 반짝임이었다.

　오로라 제작소에 들어오기 전, 그녀는 자신의 특별함을 확신했다. 예비 오로라 제작자라는 이름은 어딜 가나 특별하다는 소리를 들었다. 그녀는 심지어 상상학교 내에서도 우수한 학생으로 손꼽혔다. 그래서 오로라 제작소에 들어올 때까지만 해도 그녀는 한 치의 의심 없이 자신이 특별하다 믿었고, 오랫동안 소중히 간직해 온 특별함이 마침내 오로라 제작소에서 빛을 발할 거라 여겼다.

　하지만 오로라 제작소에 입사하면서 그녀는 평생 믿어 온 모든 것이 허상이라는 사실을 깨달았다. 오로라 제작소에서 피페는 더 이상 특별한 사람이 아니었다. 모두가 특별하다고 믿는 곳에서 피페는 더 이상 특별한 사람이 될 수 없었다.

그렇게 점차 특별함에 대한 희망을 잃어 가고 있을 때, 그녀는 옆방 제작자를 만났다. 그는 그녀에게 평생 경험해 보지 못한 시간을 선사했다. 갖가지 맛의 사탕과 실없는 농담들 속에서 그녀는 새로운 종류의 특별함을 경험했다. 아무에게도 자랑할 수 없는 특별함이었지만, 그래도 그녀는 그와 함께하는 시간이 마냥 좋았다. 어쩌면 특별함이란 본래 이런 것일지도 모르겠다고 생각한 적도 있었다. 그런 마음이 들 때마다 그녀는 스스로에게 놀랐다. 독보적인 우수함만이 진정한 특별함이라 믿어 왔던 그녀였다. 하지만 그녀가 오래도록 믿어 왔던 세상은 그로 인해 조금씩 달라지고 있었다.

그리고 그가 사라졌다. 그는 그녀에게 교훈을 남겼다. 그녀가 맞았다는 교훈. 제멋대로 정의한 특별함은 절대 정답이 될 수 없다는 교훈. 그녀는 예전의 자신으로 되돌아갔다. 다시 돌아온 일상은 어딘가 공허했고, 가끔 몸서리치게 괴롭기도 했지만, 피페는 애써 그런 감정들을 무시했다. 감내해야 할 통증이라고 여기며 견뎠다. 옳은 삶을 살기 위해 반드시 거쳐야 하는 통과의례라고 스스로를 설득했다.

그러던 어느 날, 피페는 오로라의 꿈에서 자신이 진정으로 원했던 미래를 보았다. 오로라의 꿈이 시작된 순간 공허한 통증은 언제 그랬냐는 듯이 사라져 버렸다. 피상적으로만 짐작했던 삶의 이유. 오로라는 그 이유를 구체적인 형상으로 그려 보였다. 피페는 꿈속에서 마침내 자신이 누구인지를, 무엇을 원하던 사람이었는지를 깨달았다. 피페는 그 꿈을 절대 포기할 수 없었다.

꿈에 갑자기 등장한 남자가 없었더라면. 그의 질문이 아니었더라면. 그녀의 꿈은 정말 현실이 되었을지도 몰랐다. 하지만 그녀가 꿈을 좇을 때마다, 꿈을 현실로 끌어오려 할 때마다, 그는 자꾸만 그녀의 발목을 잡았다.

향수는 그를 쫓아낼 유일한 방법이었다. 세상에서 하나밖에 없는 유일한 향은 다시금 특별함을 일깨웠다. 온몸을 휘감는 공기를 느끼며 피페는 자신에게 반복해 되뇌었다. 그녀가 여태까지 살아남은 데에는 분명 그럴 만한 이유가 있을 거라고. 다른 이들이 모두 사라질 때 홀로 버틸 수 있었던 건 그녀가 그에 걸맞은 능력이 있었기 때문이라고. 그러니 '고작'이라는 허튼 말에 휘둘리지 말라고. 그녀는 유일하고 독보적인 향만큼이나 특별한 사람이니까. 앞으로도 줄곧 그럴 테니까.

하지만 정말로 영광스러울까. 이 시간을 거쳐 원하던 목적지에 다다랐을 때, 난 꿈에서처럼 진심으로 웃으며 즐거워할 수 있을까.

누군가의 징계 심사에 다녀온 날이면, 불현듯 질문이 떠오르기도 했지만, 그건 떨쳐내야 하는 기우였다. 그녀의 꿈을 위해 이겨내야 하는 일시적인 시련일 뿐이었다.

향수의 특별함은 피페를 지탱해 주었고, 덕분에 그녀는 오래
도록 무너지지 않을 수 있었다. 주변 사람들이 하나둘씩 사라진
다는 걸 알면서도, 오로라 제작소가 낯선 얼굴들로 채워지는 과
정을 뻔히 보면서도, 그게 이상하다는 사실을 자각하지 못했다.
그녀는 특별해지고 싶다는 꿈에 미쳐 있었고, 그 간절한 꿈은
피페의 눈을 멀게 했다. 꿈에 미쳐 모든 감각이 마비된 그녀는
더 이상 꿈과 현실을 구분하지 못했다. 그녀의 꿈과 현실은 연
결된 하나의 세계였다. 꿈은 틀림없이 다가올 현실이었다.

"고작이라고 했나요, 지금?"

피페가 소리쳤다. 나무 사이로 울리는 고함. 멀어져 가던 소로
가 멈추어 섰다.

"지금 고작이라고 했냐고 물었어요."

피페의 목소리에 소로가 뒤를 돌아보았다.

"피페, 당신은 평생 특별함이라는 액자에 갇혀 있을 거예요.
영원히 그 꿈에서 탈출하지 못할 테죠. 너무 오랫동안 함께해
꿈은 곧 당신이 되어 버렸거든요."

소로는 체념한 얼굴이었다.

"봐요, 피페. 우리 주변을 감싸고 있는 이 숲을 좀 보라고요.

살랑이는 바람이 불어와 피페의 얼굴을 건드렸다. 귀 뒤로 차분하게 넘겼던 머리칼이 바람결을 따라 흩어졌다. 그녀는 흘러내리는 머리칼을 쓸어올리다 말고 문득 고개를 들어 숲을 올려다보았다.

숲에는 온갖 생명이 이우러져 있었다. 나무들은 무성한 가지를 뻗으며 촘촘한 녹색 천장을 만들었고, 그들이 펼친 넓적한 이파리 사이사이에는 작은 곤충들이 뒹굴었다. 따사로운 햇살은 이파리를 타고 흘러내려 바닥을 금빛으로 물들였고, 반짝이는 빛의 테두리를 따라 낮은 키의 꽃과 풀이 바스락댔다. 바람이 나뭇잎 공을 굴리며 햇빛 사이를 날아다니자, 동물들은 걸음을 멈추고 공중제비를 도는 나뭇잎을 구경했다. 새들은 나뭇가지에 앉아 바람과 나뭇잎에 대해 노래했고, 나무는 그들이 들려주는 노래에 맞추어 이파리를 흔들었다.

숲을 이루는 모든 생명은 각자 다른 모습을 하고 있었지만, 그 사실은 아무런 문제가 되지 않았다. 신갈나무와 가문비나무, 제비꽃과 도라지, 원추리와 엉겅퀴, 멧비둘기와 동고비, 풍뎅이와 다람쥐, 굴러다니는 낙엽과 나풀대는 흙먼지, 바람과 햇살, 아주 오랜 시간 자리를 지키는 바위와 자갈까지도. 서로의 다름을 일상처럼 받아들이며 유동하는 하나의 숲을 일궈내고 있었다. 그들 중 누군가는 다른 누군가에게 없어서는 안 될 존재였고, 누군가의 필요는 다른 누군가보다 많거나 적었지만, 그들은 결코 서로를 어떠한 이름으로 부르지 않았다. 그곳에선 독보적인 우월함이란 없었다. 특별해야 한다는 강박적인 열망도 없었다. 태어났다는 것. 세상을 구성한다는 것. 그건 그들이 지닌 특별함의 전부였다. 그들은 자신의 특별함을 증명하려 애쓰지 않았다. 태생부터 주어진 유일무이한 특권을 굳이 증명할 필요는 없었다. 그들은 그저 그들이기만 하면 되었다.

그건 피페가 태어난 세상이었다. 그들의 숲은 곧 피페의 숲이기도 했다. 특별함은 태초부터 지니고 있던 그녀의 유일함이었다. 그녀는 오래도록 그 사실을 잊고 있었다. 그녀뿐만이 아니었다. 그녀가 사는 세계 또한 오래전에 그 사실을 망각해 버렸다. 그러나 그들 중 무언가를 증명하기 위해 태어난 이는 없다. 숲을 이루는 모든 생명처럼, 그들은 그저 그들일 뿐이었다. 네 잎 클로버는 그녀와 그들이 만든 환상이었다.

다시 바람이 불어왔다. 좁은 산길을 따라 내려오던 돌풍은 숲을 한 차례 휘감으며 하늘로 치솟았다. 겹겹이 드리워진 녹색 천장을 뚫고 비상했다. 옷자락이 펄럭였고, 가방은 어깨를 타고 내려와 땅 위를 굴렀다. 하지만 피페는 더 이상 외투를 움켜쥐거나 몸을 웅크리지 않았다. 그녀는 바람에 저항하지 않았다. 피페는 이제 숲을 이해할 수 있었다. 제멋대로 머리칼을 흩트리는 바람 본연의 모습을, 마침내 온전히 받아들일 수 있었다.

난 다시 꿈에 들어가야 해.

그건 절박한 다짐이었다.

...

　오로라 제작소는 제작자의 징계 심사가 끝날 때까지 작업실을 치우거나 수리하지 않았다. 피페의 작업실 또한 며칠 전 폭발했던 모습 그대로였다. 녹아 버린 플라스틱과 그을린 쇳덩이. 바닥을 뒤덮은 유리 조각과 부옇게 흩날리는 분진 가루. 한 걸음 내디딜 때마다 발밑에서 무언가가 부서졌다. 천장에는 잘린 전선들이 대롱거렸고, 부서진 쇠 파이프와 금속관은 끊임없이 삐거덕거렸다. 반쯤 무너진 상상큐브 위로는 금속 나팔관이 쓰러져 있었는데, 금방이라도 무너져 내릴 것처럼 위태로웠다.

　피페가 벽에 설치된 임시 스위치를 누르자, 등 뒤로 작업실 문이 닫혔다. 공간은 완벽한 암흑으로 물들었다. 어둠에 눈이 조금씩 익숙해지자, 곳곳에 숨어 있던 작은 빛이 보였다. 폭발과 함께 산산조각이 났던 그녀의 마지막 오로라 얼음. 바닥에 흩뿌려진 얼음의 잔해들은 은은한 조명이 되어 작업실을 밝히고 있었다. 땅에 피는 별처럼, 사방에서 반짝이며 작업실을 빛으로 물들였다.

　피페는 몸을 숙여 부서진 오로라 얼음 조각을 집어 들었다. 주변에 떨어진 조각들을 하나씩 손바닥 위에 올려놓았다. 오로라 얼음이 한 움큼 모이자 그녀는 가방을 뒤적이며 오로라 얼음을 담을 무언가를 찾았다. 손에 매끈한 병이 잡혔다. 새하얀 향수병. 피페는 망설임 없이 병을 열었다. 그러고는 그 안에 들어 있던 액체를 한 방울도 남김없이 모두 땅에 쏟아 버렸다. 작업실

안이 지독한 향으로 가득 찼다. 피페는 연거푸 재채기를 하며 손안에 모아 두었던 오로라 얼음 조각들을 병 안에 털어 넣었다. 향수병이 꽉 차서 뚜껑이 다 잠기지 않을 때까지 그녀는 오로라 얼음 조각들을 모으고 또 모았다.

집에 도착하자마자 이불을 한쪽으로 밀어놓고 침대 위에 벌렁 누웠다. 집에 오는 내내 손에 쥐고 있던 향수병을 조심스레 기울이자 오로라 얼음 가루가 흘러나왔다. 손바닥 위에 오로라 얼음 가루가 소복히 쌓였다. 그녀는 깊게 심호흡했다. 이제 꿈에 들어갈 시간이었다.

삼십 분도 채 되지 않았건만, 피페는 온몸으로 경련하고 있었다. 몸을 뒤틀며 이쪽저쪽을 구르다 침대에서 굴러떨어졌고, 침대 다리에 머리를 부딪치며 꿈에서 깨어났다. 피페는 눈을 뜨자마자 다시 오로라 가루를 손에 부었다. 가루를 입에 물고서 침대에 누웠다. 삼십 분이 지나기도 전에 다시 한번 몸이 격렬하게 꿈틀댔다. 반복적으로 튕겨 오르다 벽에 머리를 박았다. 그녀는 깨어나자마자 화장실로 달려가 속에 있던 모든 것을 게워냈다. 다시 침대로 향했다. 오로라 얼음 가루를 입 안에 털어 넣었다. 그녀는 꿈속에서 또 한 번 졸도했고, 온몸으로 충격을 받아냈다. 그렇게 그녀는 기절하고 깨어나기를 반복했다. 구르고 떨어지고, 넘어지고 쏟아내길 거듭했다. 하지만 그녀는 포기하지 않았다. 끝까지 포기하지 않는다는 건 그녀에게 무척이나 중요한 일이었다.

그녀는 네발로 기어서 침대로 되돌아왔다. 힘겹게 팔을 들어 협탁 위에 걸쳐 놓았다. 가까스로 손가락을 뻗어 향수병을 넘어 트렸다. 둥근 향수병은 나무 표면을 구르다 방바닥으로 떨어졌다. 피페는 천천히 향수병을 그러쥐었다. 뚜껑을 열고 병을 뒤집어 안에 담긴 것들을 입 속에 털어 넣었다. 가루를 삼키려던 찰나, 그녀는 무언가 잘못되었음을 느꼈다. 입 안에는 아무것도 없었다. 병 안을 확인했다. 병은 어느새 텅 비어 있었다. 그녀는 모든 기회를 다 써 버린 것이었다.

피페는 있는 힘껏 향수병을 집어던졌다. 협탁 모서리에 거칠게 부딪힌 병은 방 저편으로 날아갔다. 그녀는 울부짖으며 벽으로 돌진했다. 이마로 벽을 찧고, 주먹을 쥔 손으로 바닥을 몇 번이나 후려갈겼다. 오로라 얼음 없이는 실제와 같은 선명한 꿈을 그릴 수 없었다. 흐릿한 모습의 그를 만나는 건 아무런 의미가 없었다. 그와 제대로 마주하기 위해서는 반드시 오로라 얼음이 필요했다. 하지만 이제는 끝이었다. 정말 끝이었다. 피페는 끝까지 성공하지 못했다. '고작'으로 시작하는 남자의 질문에 결국 한 번도 제대로 답하지 못했다. 답하고 싶은 말은 너무나도 많았지만, 그녀가 입을 뗄 때마다 오로라의 세상은 무너져 내렸고. 그녀는 붕괴하는 꿈과 함께 부서졌다.

머리가 앞으로 고꾸라지며 바닥에 엎어졌다. 그녀는 간신히 숨을 쉬고 있었다. 꿈의 충격을 온몸으로 받아내며 그녀는 눈에 띄게 약해져 있었다. 이제 피페는 손가락 하나조차 움직일 힘이 없었다. 앙상한 어깻죽지만이 오르고 내리며 그녀가 살아있음을 알려 주었다.

어쩌면 이게 맞는 일일지도 몰라.

피페는 소로의 말을 떠올렸다. 고작 그것뿐인 사람. 소로의 말이 맞았다. 그녀는 그런 사람이었다. 변명조차 제대로 하지 못하는, 고작 그것뿐인 사람이었다. 민낯으로 대면한 자신은 초라하고 볼품없었다. 피페는 애써 외면해 왔던 현실을 드디어 받아들였다. 소로가 옳았다. 그녀는 고작 그것뿐인 사람이었다.

최종 징계 심사가 언제였지. 내일이었나. 피페는 문득 날짜를 셈하다 픽하고 웃었다. 결국 아무것도 하지 못했으면서 여전히 아득바득 현실을 의식하는 자신이 안쓰러웠다. 징계 심사가 어느 날이면 또 어때. 피페는 그렇게 말하며 팔에 얼굴을 묻었다. 눈을 감았다. 이제는 진정한 끝이었다.

...

"피페입니다, 여러분!"

진행자는 명랑한 목소리로 피페를 소개했다. 피페는 환한 미소로 관객의 박수에 화답했다. 그녀는 행복에 대한 말들을 늘어놓았다. 아무 말이나 지껄였지만, 사람들은 그녀의 아무 말에도 쉽게 울고 웃고, 감동했다. 토크쇼는 금세 끝났고, 관객들은 기립 박수와 환호로 피페의 존재의 가치를 증명했다. 피페는 특별한 사람이었다. 직업적인 성공과 넉넉한 재산, 존경받아 마땅한 명성까지. 세상의 까다로운 잣대에 완벽하게 들어맞는 독보적으로 특별한 존재였다. 그녀는 평생 그런 사람이 되기 위해 노력했고, 마침내 바라던 순간을 거머쥐었다.

찬란하게 빛나는 삶의 정점. 모두가 그녀를 칭송하는 바로 그 순간, 어김없이 그가 나타났다. 그리고 던져지는 질문.

"고작 이것뿐인가요? 당신의 삶은 고작 이것뿐입니까!"

피페는 태연한 얼굴을 유지하기 위해 노력했다. 수많은 카메라가 그녀에게로 향해 있었다. 평생을 쌓아 올린 삶의 업적을 멍청한 관객 하나 때문에 무너트릴 수는 없었다, 그래서 그녀는 웃었다. 어떠한 생각이 들더라도 일단 웃었다. 웃음을 잃지 않은 채 그에게 한 마디를 쏘아붙이기 위해 천천히 마이크로 다가갔다. 무대 한복판에 서 있는 스탠드 마이크. 피페는 양손으로 마이크를 감쌌다. 그의 질문에 답하기 위해 입을 열었다.

그리고 피페는 멈추어 섰다. 벌어진 입술 사이로 숨이 새어 나왔다. 그녀는 다시 입을 크게 벌렸다. 무언가 말을 하려다 말고 주위를 둘러보았다. 천장의 조명들과 관객석, 무대의 양 끝을 번갈아 보았다. 그녀는 어리둥절한 표정이었다.

"어?"

저도 모르게 짧은 물음이 새어 나왔다. 어? 그녀는 발뒤꿈치로 무대 바닥을 두드렸다. 어? 머리 위에 달린 조명들을 다시 한번 확인했다. 어? 진행자와 보조 로봇들, 무대 뒤 진행 요원들 그리고 관객석을 훑어보았다. 어? 어? 어?

꿈은 여전히 진행되고 있었다. 모든 것은 여전히 제자리에 있었다. 그의 질문은 더 이상 그녀의 꿈을 무너트리지 않았다. 이런 적은 없었다. 지금쯤이면 그녀는 뒤틀리는 세계를 견디지 못해 토하거나 구르거나 넘어지거나 떨어지면서 어딘가에 부딪혀 기절해야 했다.

하지만 이제 그녀의 세상은 온전했다. 더 이상 그의 질문 앞에서 균열이 가거나 무너지지 않았다. 피페는 떨리는 목소리로 마이크를 확인했다. 아. 그녀의 목소리가 공기를 가로질러 관객석 끝까지 울려 퍼졌다. 모든 시선이 그녀에게로 향했다. 숨소리하나 들리지 않는 고요함. 피페는 직감적으로 알 수 있었다. 마침내 그의 질문에 답할 때가 되었음을.

"고작 그것뿐인가요! 고작 그것뿐입니까!"

그때 그가 다시금 물었다. 피페는 마이크를 뽑아 들고서 무대 밑으로 향했다. 관객과 자신을 구분 짓던 계단을 한 칸씩 내려가 그에게로 걸어갔다. 모든 이들의 시선이 그녀를 따라 움직였다.

피페는 금방 멈추어 섰다. 갈색 페도라의 남자는 여전히 질문하고 있었다. 구간 반복을 하도록 설정된 기계처럼 같은 자세로

삿대질하며 무대를 향해 윽박질렀다. 고작 그것뿐입니까? 고작 그것뿐인가요?

"안녕, 원."

피페의 부름에 고장 난 것처럼 같은 동작을 되풀이하던 그가 움직임을 멈추었다.

"안녕, 원. 오랜만이야."

앞만 보고 있던 남자가 천천히 고개를 돌렸다. 갈색 페도라와 밝은 주황색 자켓. 검은 셔츠와 바지. 진갈색의 가죽 구두와 얇은 허리띠. 그리고 앞가슴에 달린 청록색의 딱정벌레 브로치까지.

"한때 꽤 멋쟁이였다더니. 완벽하게 예전 모습을 되찾았네. 축하해."

익명이었던 남자의 흐릿한 얼굴에 마침내 진한 선이 그어졌다. 피페는 이제 그의 얼굴을 알아볼 수 있었다. 젊음을 되찾은 그의 눈은 다시금 갈색으로 반짝였다.

"꼭 한번 보고 싶었어. 이야기도 하고 싶었고."

피페는 그에게 한 걸음 다가섰다. 그의 앞주머니에 달린 딱정벌레 브로치가 빛을 반사하며 시시각각으로 색을 바꾸었다.

"왜 그런 질문을 했냐고 묻는다면, 난 답하지 않을 거야. 넌 진작에 이곳에 왔어야 했어. 그럼 난 분명 답해 줬을 거야. 언제나 그랬던 것처럼."

마침내. 그가 입을 열었다. 참으로 오랜만에 들어보는 그의 차분한 목소리.

"안녕, 피페. 인사가 늦었네. 한 오 년쯤 늦었나? 아니, 칠 년 혹은 팔 년일지도 몰라. 너무 오래돼서 시간 세는 걸 잊어버렸거든."
"맞아, 난 너무 늦었어. 인정해. 무대에서 여기까지 서른 걸음도 안 되는데. 이 짧은 거리를 내려오는데 난 너무 오랜 시간을 허비했어."
"이제라도 깨달았다니 다행이네."

그가 퉁명스럽게 말했다.

"미안해, 원. 내가 정말 미안해. 진심으로 사과할게."

피페의 말에 원이 되물었다.

"네가 왜 미안해?"
"난 특별해지고 싶었어. 옛날부터 줄곧 그래왔고, 사실 솔직히 말하면 지금도 그래. 방금조차도 무대 위에서 난 모든 걸 가진 것만 같았어. 이제는 바래서는 안 될 꿈이라는 걸 알게 되었는데도 말이야. 오래전 특별함이라는 신념은 내 안에 문신처럼 새겨졌고, 난 아직도 그 흔적을 전부 지우지 못했어."

"그런데 왜 미안해?"

그는 여전히 이해하지 못하겠다는 얼굴이었다.

"특별함이라는 꿈이 무엇을 의미하는지 이제야 깨달았거든."

피페는 말을 이었다.

"당연하다고 여겼어. 모두가 특별해지고 싶어 하니까. 특별함을 추구하는 게 이상하다고 생각하지 못했지. 이기적인 것도 하나의 덕목이 된 사회니까. 바보같이 착한 건 그냥 바보일 뿐이니까. 그래서 난 널 위해 할 수 있는 게 없다고 생각했어. 일개 오로라 제작자일 뿐이니까. 주제를 넘어선 안 되니까. 그이상을 추구했다가는 분명 내가 다칠 테니까. 그래서 한 번도 돌아보지 않았어. 오히려 잊으려 했지. 너를 생각할 때마다 내가 두고 온 것들이 떠올랐거든. 네가 알려주었던 또 다른 특별함. 무언가를 잃고 있는 것 같은 기분. 자꾸만 바로잡아야 할 것 같은 느낌. 그 감각들은 날 불편하게 만들었어."

"그래서 넌 결국 선택을 했고, 그 선택에 나는 없었어."

원은 차갑게 말했다.

"맞아. 난 널 버렸어. 너와 함께 많은 것들을 버렸지. 그래서 지금까지 올 수 있었나 봐. 몸이 가벼웠으니까. 더 오래 걸을 수 있었던 거지."

피페는 옅은 한숨을 내쉬었다.

"네 말이 맞아, 원. 여태 몰랐지만, 이제는 알겠어. 네가 왜 자꾸 내 꿈에 나타났는지. 왜 네 얼굴만 보면 그토록 괴로웠는지를 말이야."

그녀의 목소리가 마이크로 흘러 들어가 관객들 사이로 흩어졌다. 삼 층 짜리 극장 전체가 온통 그녀의 목소리로 채워졌다.

"난 고작 그것뿐이었던 거야, 원. 처음부터 허상인 꿈을 목적지라 믿으며 달려온 거지. 그게 성공의 모습이라 철석같이 믿으면서, 마침내 완벽해질 거라며 자신까지 속이면서. 정작 진짜 중요한 것들을 잃고 있었지만, 그 사실조차 알지 못했지."
"그래서 후회해?"
"내게 후회라는 표현이 어울릴까?"
원은 아무 말도 하지 않았다.
"난 사과를 하러 왔어. 단지 그것뿐이야. 사과한다고 달라지는 건 없겠지만, 그래도 꼭 한 번쯤은 말하고 싶었어."
"내게? 네게?"
"뭐?"

그는 천천히 입을 열었다.

"피페, 뭔가 착각하고 있나 본데. 네 시간은 아직 끝나지 않았어."

원은 쓰고 있던 모자를 벗어 의자 위에 내려놓았다.

"내게 정말로 사과하고 싶다면, 진정으로 후회한다면. 아직 기회는 있어. 넌 우리와 달라. 네게는 아직 우리에게 없는 시간이 남아있거든."

"우리?"

피페가 되묻자 원은 두 팔을 벌려 주변을 가리켰다. 피페는 그의 손을 따라 객석을 둘러보았다. 처음으로 찬찬히 살펴본 관객들. 꿈을 수없이 드나들면서도 한 번도 주의 깊게 보지 않았던 사람들이었다. 단지 환호하는 관중이라고만 생각했다. 피페를 좀 더 돋보이게 하는 존재라고만 생각했었다. 하지만 그들은 각기 다른 모습을 한 진짜 사람들이었다. 관객을 한 명 한 명 찬찬히 뜯어 보던 피페는 그들의 얼굴이 낯설지 않다는 사실을 깨달았다. 눈에 익은 눈과 코와 입. 어디서 본 듯한 생김새. 몇몇은 이름까지 말할 수 있을 정도로 친숙했다.

그들은 오로라 제작자들이었다.

한때는 함께 오로라 제작소 복도를 오갔지만, 지금은 사라지고 없어진 그들. 기계의 부품처럼 아무렇지도 않게 갈아 끼워졌던 사람들이었다. 까맣게 잊었다고 생각했던 얼굴들. 기억에서 지워진 줄 알았던 사람들. 그들은 처음부터 피페의 꿈에 스며들어 있었다. 관객이라는 거대한 덩어리로 피페 안에 차곡차곡 쌓여 가고 있었다.

"넌 한 번도 그들을 잊은 적 없어. 날 한 번도 잊은 적 없던 것처럼."

원은 피페에게 속삭였다.

"피페, 넌 뻔뻔해. 가끔은 이해할 수 없을 정도로 제멋대로지. 하지만 그래서 난 네가 좋았어. 넌 이상한 쪽으로 나와 닮아 있었거든. 너라면 분명 날 이해할 거라 믿었어. 그래서 너에게만큼은 서슴없이 날 보일 수 있었지. 내가 어떤 말을 하든, 어떤 행동을 하든, 넌 그 속에 있는 본질을 봐줄 테니까."

그는 싱긋 웃었다.

"난 틀리지 않았어. 여기에 있는 사람들. 이게 내 증거야. 멀리 돌아오긴 했지만. 영원히 오지 않을까 두렵기도 했지만. 봐, 넌 결국 이렇게 보란 듯이 돌아왔잖아."

원은 두 팔을 높이 들어 펼쳐 보였다.

"넌 내 말의 본질을 꿰뚫어 볼 수 있으니까, 이제부터 난 최대한 빙빙 돌려 말할 거야. 심술이라고 생각해도 어쩔 수 없어.

난 너무 오래 기다렸어. 이 정도는 정당한 권리라고 생각해."

그가 장난스러운 목소리로 말했다.

"피페, 넌 우리와 달라. 네겐 아직 시간이 있어. 선택을 할 수 있는 시간. 네게 남은 기회를 헛되이 쓰지 않길 바랄게."

원은 자신의 앞가슴에 달린 딱정벌레 브로치를 떼어 피페에게 건넸다. 딱정벌레는 사뿐히 날아 그녀의 손바닥 위에 안착했다. 벌레가 옅게 숨을 쉴 때마다 그의 날개가 청록과 짙은 파랑, 그리고 황금빛으로 영롱하게 반짝였다.

"그리고 말이야. 아까부터 되게 거슬렸는데. 나 아직 안 죽었어. 알지? 멀쩡하게 숨 쉬면서 살아있다고. 그러니까 자꾸 아련한 눈으로 좀 쳐다보지 마. 오랜만에 제대로 징그러워지려고 하니까."

그의 말에 피페는 피식 웃었다.

"피페, 넌 날 포기한 게 아니야. 다만 유예했을 뿐. 언제든 만나러 와. 기다리고 있을게."

원이 손을 내밀었다. 피페는 그 손을 맞잡기 위해 팔을 뻗었다. 그녀의 손가락 끝이 그에게 가 닿았을 때, 그는 꽃가루가 되어 사방으로 흩날렸다. 그는 주변에 있던 오로라 제작자들을 물들였다. 그가 스치고 지나간 관객들은 또 다른 모습의 꽃이 되어 그에게 합류했다. 꽃으로 이루어진 거대한 바람은 점점 몸집을 불려 나갔다. 삼 층의 관객석을 휩쓴 바람은 웅장한 회오리가 되어 피페를 향해 돌진했다. 그녀는 쏟아지는 사람들을 피하지 않고 정면으로 맞이했다.

바람은 정갈하게 틀어 올렸던 머리카락을 한없이 헝클였다. 바람의 힘을 이기지 못한 두 다리가 힘을 잃고 휘청였다. 하지만 피페는 그들이 자신을 마음껏 흔들도록 놔두었다. 비로소 마주한 진정한 꿈의 결말. 그녀는 마침내 자신의 꿈을 온전히 받아들일 수 있었다.

오로라 제작자들이 전부 사라진 공간. 텅 빈 객석의 끝에 누군가 홀로 앉아 있었다. 의자에 머리를 기대고 있던 그는 천천히 몸을 일으켰다. 아주 어린 여자아이. 그녀는 관객석 중앙 복도를 따라 천천히 걸어 내려왔다. 한걸음 디딜 때마다 붉은 카페트에는 그녀의 흔적이 새겨졌다. 그녀는 피페에게서 조금 떨어진 곳에 멈추어 섰다. 피페는 그녀가 누구인지를 한눈에 알아보았다.

그건 피페였다. 원을 만나기도 전, 오로라 제작소에 들어오기도 전, 상상학교에 입학하기도 전의 피페. 오로라가 무엇인지도 몰랐고, 세상의 온갖 복잡다단한 규칙에 얽매이지도 않았던, 어리고 어렸던 그녀.

그 작은 아이가 환하게 웃으며 속삭였다.

"이제 꿈에서 깰 시간이야."

행복의 제물

조명이 환한 원을 만들었다. 단상의 가운데에는 나무 의자가 놓여 있었고, 그 앞에는 피페가 서 있었다.

"환영합니다, 피페."

검고 둥근 무대를 에워싸고 앉아 있는 세 명의 심사관. 하지만 피페는 그들을 볼 수 없었다. 천장의 작은 핀 조명은 오로지 중앙의 둥근 무대만을 비추었다. 눈이 부실 정도로 새하얀 빛. 그 빛은 피페의 눈을 가려 그들을 볼 수 없게 했다. 반면, 그들은 피페의 모든 움직임과 모든 숨결, 작은 솜털 하나까지도 빠짐없이 지켜보았다. 징계위원회는 그런 곳이었다.

징계 심사가 열리는 공간은 실내에 건설된 원형 극장과도 같았다. 중앙의 둥근 무대에는 징계 대상자가 섰고, 그 가장자리를 따라 심사관들이 앉았다. 심사관들의 뒤로는 방청을 위한 객석이 마련되어 있었다. 계단식으로 쌓인 좌석들은 언제나 한 자리도 빠짐없이 가득 찼다. 오로라 제작소에서 반 강제하는 것도 있었지만, 오로라 제작자들에게 징계 심사는 지루한 회사 생활을 타파할 오락거리 중 하나였다. 피페도 한 때는 그들과 같은 곳에 있었기에, 누구보다도 그들의 마음을 잘 알고 있었다.

심사관들이 앉은 자리에 희미한 빛이 생겼다. 전자패드 화면이 만든 사각의 광원. 아래서부터 쏘아 올린 빛은 그들의 얼굴 일부를 비추었다. 세 개의 목과 턱, 그리고 입. 그들은 모두 각기 다른 모습을 하고 있었다. 한 명은 노년에 접어들었고, 한 명은 중년을 막 넘겼으며, 마지막 하나는 새파란 젊은이였다.

"반갑습니다."

피페가 그들에게 인사를 건넸다. 심사관 중 하나가 고개를 들었다. 가장 젊은 심사관이었다. 그는 조금 놀란 얼굴이었다. 징계 심사대에 온 오로라 제작자 중 인사를 건네는 사람을 처음 본 듯했다. 들어온 지 얼마 안 된 신입인 모양이었다.

"제작자 피페의 최종 징계 심사를 시작하겠습니다. 모두 착석해 주시죠."

가장 나이가 지긋한 심사관이 운을 뗐다. 여기저기서 자리에 앉는 부산한 소리가 들렸다. 피페도 그들과 함께 자리에 앉았다. 허벅지 밑으로 차갑고 딱딱한 의자가 느껴졌다.

"제작자 피페는 총 세 가지 규정을 어겼고, 이에 징계위원회에 회부되었음을 밝힙니다. 징계 심사는 각 항목을 검토하는 방식으로 진행되며, 제작자는 심사 중 자신을 위한 변론을 할 수 있습니다."

심사관은 기계적인 어조로 말을 이어 나갔다.

"징계 심사관은 거짓 없이 심사에 임할 것을 약속하며, 제작자 또한 그러기를 요청합니다. 동의하십니까?"
"네. 동의합니다."
"네. 동의합니다."

두 명의 심사관의 답변. 심사관은 이번에 피페를 보았다. 피페는 고개를 끄덕이며 말했다.

"네. 동의합니다."

심사관은 전자패드에 무언가를 체크했다.

"심사의 모든 과정은 녹화 및 녹취될 예정이며, 기록된 자료는 의료, 재판 및 연구의 용도로만 사용될 수 있습니다. 또한 자료는 심사에 참여한 제작자와 심사관 외 제삼자도 자유롭게 열람할 수 있음을 알려 드립니다. 이 부분 동의하십니까?"

피페가 답을 하지 않자, 심사관은 고개를 들었다.

"동의하십니까?"

재차 물었다. 그건 동의를 구하는 목소리가 아니었다.

"네, 동의합니다."

그녀는 마지못해 답했다.

"그럼 심사 시작하겠습니다."

심사관은 전자패드의 화면을 몇 번 두드린 후, 큰 소리로 화면의 문구를 읽어 내려갔다.

"첫 번째 위반 항목은 기기 파손입니다. 제작자 피페는 지난 석 달 동안 총 세 차례 오로라 제작기를 파손한 바 있습니다. 지난 5월 9일, 상상큐브의 벽면 및 SEND 파동 수집기를 훼손했고, 5월 28일 오로라 얼음 제작기의 퓨즈를 손상시켰습니다. 이에 관리자 부아는 휴가를 처방했으며, 휴가가 끝난 후에도 건강이 호전되지 않아 디버깅 요원과의 면담 치료를 진행했습니다. 면담 중 제작자 피페는 본인의 건강을 과신하여 자발적으로 오로라 얼음 제작을 시도했고, 그 과정 중에 오로라 제작기 한 대가 복구 불가할 정도로 부서졌습니다. 지금부터 재생될 장면은 상기 위반 항목에 대한 증거 자료입니다."

피페는 밋밋하게 나열되는 말속에서 어울리지 않는 단어를 몇 개 포착했다. '과신하여' 그리고 '자발적으로'. 의도가 번히 읽히는 표현들이었다.

심사관은 책상에 설치된 버튼을 눌렀다. 피페의 눈앞에 홀로그램 영상이 펼쳐졌다. 자신이 망가져 간 시간들. 처참히 부서지는 기기의 장면들. 피페는 그 상세한 기록을 지켜보았다. 마지막 오로라 제작기의 폭파 장면은 눈을 뜨고 볼 수 없을 만큼 참혹했다. 피페는 저도 모르게 고개를 돌렸다. 정신을 잃고 경련하는 영상 속 자신의 모습이 소름 돋을 정도로 낯설었기 때문이다.

"영상에 집중하세요, 피페."

심사관이 피페를 불렀다. 그녀는 결국 그 기괴한 홀로그램 영상을 처음부터 끝까지 빠짐없이 시청해야 했다.

영상이 끝나고, 관객석에서 웅성거리는 소리가 들렸다. 오로라 제작기가 폭파하는 모습에 그들도 적잖이 놀란 모양이었다.

"조용히 하세요, 조용!"

셋 중 가장 젊은 심사관이 객석을 향해 소리쳤다. 곧 수군대던 사람들의 소리가 잦아들었다. 주변이 조용해지자 나이 많은 심사관이 다시 입을 열었다.

"두 번째 징계 항목은 오로라 얼음 품질 저하입니다. 오로라 제작소는 제작자들이 사람임을 인지하고 있습니다. 우리는 기계가 아니기에 오로라 얼음의 품질은 매번 일정할 수 없습니다. 하지만 오로라 얼음은 누군가의 재화와 맞바꾸는 상품이며, 고객은 통상적으로 상품을 구매할 때 그 품질이 일정 수준을 유지하길 기대합니다. 오로라 제작소는 고객의 요구에 부응할 필요가 있습니다. 오로라 제작자 역시 이 점을 유념하여 오로라 얼음을 제작해야 합니다. 하지만 제작자 피페는 이 부분을 간과하였고, 이를 징계 사유로 채택합니다."

말이 끝나자 젊은 심사관이 팔을 높이 들었다. 손짓과 함께 어둠 속 어딘가에서 덜커덩거리는 소리가 들렸다.

"지금부터 무대에 오를 오로라 얼음은 상기 항목에 대한 증거 자료입니다."

관객석 뒤편으로 거대한 문이 미끄러지듯 열렸다. 그 뒤로 도우미 로봇이 모습을 드러냈다. 무거운 물건을 나를 때 도움을 주는 수레 로봇이었다. 로봇의 수레에는 커다란 무언가가 담겨 있었고, 그 위에는 불투명한 덮개가 씌워져 있었다.

동글동글한 바퀴를 단 유선형의 로봇이 무대를 향해 다가왔다. 탈탈거리며 신나게 복도를 내려오는 기계의 밑부분에서는 노래가 흘러나오고 있었다. 동요도 캐롤도 아닌 어중간한 모방. 행복을 어설프게 재현한 리듬은 낡은 오르골에서나 나올 법한 기이한 연주를 연상시켰다. 경쾌함과 쓸쓸함을 한 번에 몰고 온 수레 로봇은 어느새 피페의 곁에 섰다. 무대의 바닥을 톡톡 두드리며 수레와 바닥 사이의 각도를 확인하더니 몸체의 옆구리에 달린 와이어 손으로 동그라미를 만들었다. 내릴 준비가 완료

되었다는 뜻이었다.

그의 등을 감싸고 있던 플라스틱 덮개가 서서히 열렸다. 세 명의 심사관들이 동시에 입을 벌렸다. 실물로 마주한 피페의 오로라 얼음. 그건 사진과 영상으로 확인했던 모습보다 훨씬 더 끔찍했다. 아, 저런. 심사관 중 하나가 고개를 절레절레 저으며 중얼거렸다.

위로 갈수록 뾰족해지는 앙상하고 빈약한 얼음. 완벽한 구의 모습을 한 일반적인 오로라 얼음과는 상반된 모습이었다. 궁색하고 볼품없는 오로라 얼음 앞에서 관객은 일제히 탄식했다. 어휴, 저것도 얼음이라고. 관객석 중 누군가가 그렇게 말했다. 피페에게까지 똑똑히 들리는 그의 목소리. 그 말을 들은 누군가가 풉 하고 웃었다. 곧이어 사방에서 풉 하는 소리가 들렸다. 그건 명백한 비웃음이었다.

"조용. 조용!"

젊은 심사관이 자리에서 일어나 외쳤다. 목소리는 엄중했지만, 그의 눈은 웃고 있었다. 본격적인 징계 심사가 드디어 시작되고 있었다.

"뭐라 해야 할까요. 그래. 고드름을 좀 닮은 것 같기도 하고요?"

젊은 심사관은 거드름을 피우며 말했다. 그 말에 중년의 심사관이 껄껄대며 웃었다. 여태 한마디도 하지 않고 있던 그였다.

한참을 웃던 그가 갑자기 심각한 목소리로 덧붙였다.

"빈약하고 조촐하군요."

빈약하고 조촐하대요! 젊은 심사관이 그 말을 따라하며 배를 잡고 웃었다. 관객들도 덩달아 폭소했다. 하나도 웃기지 않는 단어들이었지만, 그에게는 그 말이 최고의 농담인 모양이었다. 피페는 그를 응원하지는 못할지언정 박수라도 쳐 주고 싶었다. 정말 눈물겨운 사회생활이었다.

나이가 가장 많은 심사관은 조금도 웃지 않았다. 그저 귀찮고 피곤하다는 얼굴이었다. 그는 한숨을 쉬며 전자패드를 집어 들었다. 목을 가다듬고서 다시 화면을 읽어 내려갔다.

"해당 오로라 얼음은 제작자 피페가 휴가를 받기 직전에 제출한 것입니다. 휴가 승인을 위해 관리자 부아가 중앙관리실에 전달했고, 심사 전에 징계위원회가 승계받았습니다."

양쪽 심사관들은 여전히 웃음에서 헤어 나오지 못하고 있었지만, 나이 지긋한 심사관은 아랑곳하지 않는 얼굴로 해야 할 일에만 집중했다. 억양 하나 없는 단조로운 목소리와 거만한 웃음소리는 서로에게 전혀 섞여들지 않았다. 이질적인 두 소리 사이로 수레 로봇이 파고들었다. 그는 무대에 얼음을 내려놓고서 다시 근무지로 복귀하는 중이었다. 로봇은 주변 사람들은 아무래도 좋다는 듯, 흥겹게 바퀴를 굴리며 이상한 음악 소리에 맞추어 꽁무니를 흔들었다. 그는 곧 관객들이 있는 어둠 속으로 사라졌다. 관객들은 여전히 웃고 있었다. 객석이 떠나가라 웃어 대고 있었다. 수백 명의 웃음소리와 심사관의 단조로운 말소리, 로봇의 이상한 음악 소리가 한 데 뒤엉켜 거대한 메아리를 만들었다.

이곳은 한 편의 장대한 아수라장이었다.

피페는 그 중심에 앉아 있었다. 그들의 비웃음과 눈길, 야유와 손가락질을 한 몸에 받으며 묵묵히 앉아 있었다. 그녀는 기다리는 중이었다. 이 모든 시간이 끝나고, 자신의 차례가 돌아오기를, 잠자코 기다리는 중이었다.

"제작자 피페의 자료를 면밀히 검토한 결과, 징계위원회는 업무 능률 저하의 원인이 그녀의 부패한 꿈에 있다는 것을 발견했습니다. 꿈은 행복을 만듭니다. 꿈은 오로라 얼음 제작에 있어 필수적인 절차입니다. 하지만 꿈은 동시에 위험하기도 합니다. 오로라의 꿈은 한 마리의 야생마와도 같아서 그를 길들일 기수를 필요로 합니다. 그렇기에 오로라 제작자는 상상 근육을 단련하여 자신의 꿈을 제어할 의무가 있습니다. 하지만 제작자 피페는 이를 소홀히 했고, 불성실한 업무는 오로라 얼음 품질 저하로 이어졌습니다."

심사관은 고개를 들어 피페를 보았다.

"그러니 제작자 피페에게 묻겠습니다. 불성실한 업무의 사유가 무엇입니까?"

피페는 마른침을 삼켰다. 드디어 모두가 기다려 왔던 마지막 코너가 시작되고 있었다. 오로라 제작자의 불성실한 업무 사유를 되짚는 과정. 낱낱이 파헤쳐지는 그들의 부패한 꿈의 고백. 관객이 가장 즐거워하는 무대임과 동시에 오로라 제작자가 가장 수치스러워지는 시간이었다.

하지만 피페는 이 시간이 오기만을 기다렸다. 모든 사람의 이목이 자신에게 집중되는 순간. 그녀에게 주어지는 마지막 발언권. 피페는 그 귀중한 기회를 함부로 흘려보낼 수 없었다.

어젯밤 그녀는 한숨도 잠들지 못한 채 끝없이 목록을 적어 내려갔다. 십 년 동안 쌓인 세월만큼 그녀 안에 축적된 말들을 많고도 많았다. 그녀는 더 이상 자신이 알고 있는 사실들을 혼자만 간직하고 싶지 않았다. 더 늦기 전에 그들도 알아야 했다. 설령 그게 아무런 결과로 이어지지 않는다고 해도 괜찮았다. 피페가 원의 말을 기억했던 것처럼, 누군가는 그녀를 기억해 줄 것이었다. 그리고 그 작은 기억은 분명 또 다른 말이 되어 누군가의 기억에 남게 될 터였다. 말과 기억은 그렇게 순환하고 파생하며 계속해서 퍼져 나갈 것이었다. 피페는 자신이 그 기나긴 연결고리의 하나일 뿐이라는 사실을, 누구보다도 잘 알고 있었다.

피페는 꼿꼿하게 허리를 펴고 앉았다.

"제게는 꿈이 있었습니다."

또렷한 발음으로 말하기 시작했다.

"지극히 평범한 꿈이었습니다. 학교를 졸업하고, 직장에 취직해 젊음을 보내다, 너무 늦기 전에 은퇴하여, 존경과 사랑을 받으며 여생을 보내는 꿈이었죠. 어떤가요, 참 평범하죠?"

어둠 속에서 누군가 코웃음을 치는 소리가 들렸다. 평범하긴, 으휴. 저래서 정신이 나간 거구만?

"왜 웃으시죠? 뭐가 잘못되었나요?"

피페는 소리가 나는 쪽으로 몸을 돌려 물었다. 하지만 아무도 그녀의 물음에 답하지 않았다.

"평생 성실하게 일하고, 적당한 시기에 은퇴해서 노년을 즐기겠다는 꿈. 이게 왜 평범한 꿈이 될 수 없는 거죠?"

피페는 객석을 바라보며 물었다.

"하루아침에 돈방석에 앉는 것보다, 유명인이 되는 것보다, 평생 꿈꿔 온 이상형과 결혼하여 완벽한 가족을 이루려는 것보다 평범한 꿈 아닌가요? 여기에 있는 분들 중 이런 꿈 한 번 꿔보지 않은 사람은 분명 없을 거잖아요. 상상학교. 그때를 떠올려 봐요. 우리 모두 학창 시절에 한 번쯤 서로에게 그렇게 말한 적이 있죠. 우리는 그래도 다행이다. 적어도 학교를 졸업한 후에 취업이 보장되어 있으니 밥은 굶지 않고 살겠구나. 인간의 대용품들이 판을 치는 이 세상에서, 적어도 사람답게는 살겠구나. 다들 한 번쯤 그렇게 말한 적 있지 않나요?"

보이지 않는 그들을 향해 호소했다.

"이게 평범한 꿈이 아니면, 대체 뭐가 평범한 거죠?"

심사관을 비추던 전자패드의 불이 꺼졌다. 빛이 사라지는 찰나, 피페는 어둠 속에서 움직이는 심사관을 보았다. 그는 옆으로 몸을 기울여 다른 심사관에게 무언가를 속삭였다.

시간이 줄어들고 있었다. 피페는 의자를 박차고 자리에서 일어났다.

"우리의 세상은 언제부터인가 모든 게 뒤바뀌었어요. 지극히 평범하다 여기던 것들은 특별함이 되었고, 특별하다고 생각했던 일들은 매일같이 벌어지고 있죠. 평범한 꿈은 이제는 닿을 수 없는 사치가 되어 버렸어요. 걱정 어린 시선과 조롱을 한 몸에 받아야 하는. 이룰 수 없는 환상이 되어 버렸죠."

그녀는 목소리를 높여 말했다.

"그러면서 우리는 조금씩 변해 갔어요. 생존이라는 말로 애써 눈을 가리지만, 우리는 알고 있죠. 이런 세상에서는 결국 아무도 생존하지 못할 거라는 사실을요. 하지만 아무도 그 생각을 입 밖으로 내지는 않아요. 지금을 살아내기 위해서는 침묵할 수밖에 없거든요. 그래서 보지 않고, 듣지 않으며, 말하지 않고, 생각하지 않게 되었어요. 그래야 살 수 있거든요. 모든 게 엉망진창이 되어 버린 이 망할 세상에서는."

피페는 무대의 가장자리를 따라 걷기 시작했다.

"언제부터인가 난 무언가를 잃어버렸어요. 하나씩 천천히 빼앗기면서도 빼앗기는지조차 모르고 있었죠. 소중하고 고마웠던 사람이 눈앞에서 스러져 가는 걸 뻔히 보았음에도, 나는 내가 살아있다는 사실에 안도했어요. 그건 그가 눈앞에서 끌려나갈 때도 마찬가지였죠. 여태 그의 존엄을 최대한 지켜 주었다고 생각했지만, 아니었어요. 난 단지 날 지키고 있었을 뿐이에요. 그에게 보낸 연민은 위로가 아닌, 그저 타인을 보는 차가운 시선이었을 뿐이죠."

무대를 가로질러 반대편으로 걸어갔다. 피페는 그곳에서 새로운 얼굴들과 마주했다. 칠흑 같은 어둠 속, 낯선 사람들. 그들 중 하나만이라도. 피페는 작게 속삭였다.

"필사적으로 살아내는 거라 생각했어요. 모두가 그렇게 살고 있었으니까요. 하지만 어느 날 누군가가 그러더군요. 난 미치광이의 꿈을 꾸고 있다고. 전 처음에 그 말에 동의할 수 없었어요. 전 한 번도 남의 것을 욕심내지 않았고, 높은 자리를 탐

한 적도 없었으며, 과분한 행운을 바라지도 않았거든요. 저는 다만 살아가고자 할 뿐이었어요. 하지만 그의 말은 제 안의 깊은 내면으로 파고들었고, 절 일깨웠죠. 마침내 전 입버릇처럼 되뇌었던 생존의 진정한 의미를 보게 되었어요. 제가 그토록 집착했던 생존은 매일같이 무언가를 조금씩 잃어야만 가능한 일이었어요. 나를 구성하고 있던 가장 원초적인 무언가, 인간다움의 기초적인 모습마저 상실해야 비로소 이룰 수 있는 미래였죠. 아무것도 남지 않은 껍데기가 되었을 때요. 그의 말이 맞았어요. 그건 영락없는 미치광이의 꿈이었던 거죠."

피페는 고개를 들었다. 금방이라도 쏟아질 듯한 깊은 어둠 위로 얼굴들이 떠올랐다. 한때 그녀와 함께 객석을 채우던 이들. 부품 갈 듯이 매번 갈아 끼워지던 사람들. 피페는 더 이상 그들을 잊은 척 살아갈 수 없었다. 마치 처음부터 없던 사람들인 양 기억에서 지워버릴 수 없었다. 다만 껍데기만 남은 채로 이루려 했던 꿈을, 더 이상 자신의 꿈이라 부를 수 없었다.

"난 이미 너무 많은 것을 잃었어요. 사람과 시간, 젊음과 생기, 그리고 더 많은 것들을 놓쳤죠. 난 이제 지쳤어요. 계속해서 잃어야만 하는 현실에 질려 버렸다고요. 그들이 만든 액자 안에서 얌전하고 착하게 웃으며, 나의 모든 걸 아낌없이 내어줘야 하는 일에 신물이 나요. 곪을 대로 곪은 상처를 한 번도 제대로 돌아보지 않는 이 세계에 구역질이 난다고요!"

피페의 목소리가 높아지자 심사관 중 하나가 흠칫 놀라 뒤를 돌아보았다. 그는 다급하게 누군가를 찾기 시작했다.

"행복의 제물. 우리는 모두 행복의 제물이에요."

피페는 무대를 가로질러 중앙에 놓인 의자로 다가갔다. 오로라 얼음은 그녀의 곁에서 환한 빛을 발산하고 있었다. 거꾸로 자란 고드름처럼 뾰족하고 앙상한, 메마르고 뒤틀린 그녀와 같은 얼음, 오로라 얼음은 그녀처럼 삐딱하게 서 있었다.

"오로라가 만든 세상. 그곳의 행복은 정형화되어 있어요. 성공과 승리의 모양은 오직 하나라서 오로라이 꿈을 꾼 이들은 더 이상 그가 만든 액자 밖으로 벗어나지 못하죠. 액자 속 그림이 너무나도 달콤하거든요. 하지만 오로라 얼음이 빚은 세상에서 진정한 행복이란 없어요. 반복되는 헛된 욕망만 있을 뿐이죠."

피페는 나무 의자 뒤에 섰다.

"하지만 액자 너머에도 여전히 세상은 있어요. 가공되지 않은 진실의 세상이죠. 오로라의 꿈이 여태 우리의 눈을 가려 보지 못했을 뿐, 그곳은 언제나 우리와 함께였어요. 오로라로 덧칠되지 않은 세상. 그곳은 이 땅의 진정한 모습이에요. 우리가 태어나기 이전부터 존재했고, 우리가 모두 사라진 후에도 이곳을 지킬, 이 땅의 본질이죠."

그녀는 의자의 등받이에 손을 얹었다.

"우리는 그 세상을 되찾을 필요가 있어요. 오래전에 잃어버렸던 본질의 세상. 지금 우리에게는 그 세상이 절실히 필요해요. 그리고 그 세상을 되찾기 위해서는 먼저 지금의 우리를 바로 보아야 하죠. 설사 비참하리만치 처절한 모습일지라도. 제대로 마주하기 어려울 정도로 초라할지라도. 우리는 보아야 해요. 보아야 나아갈 수 있어요. 우리를 옭아맸던 액자 밖으로. 모두가 특별했던 그 시간으로, 우리가 우리만으로 존재해도 충분했던 그 시절로. 마침내 돌아갈 수 있을 거예요. 그 세상에서 우리는 더 이상 무언가를 잃지 않아도 돼요. 지금처럼 말하지 못하고 생각하지 못하며 고통으로 속이 문드러지지 않아도 돼요. 우리가 우리를 제대로 볼 수만 있다면, 그 세상은 반드시 우리에게 되돌아올 거예요."

피페는 두툼한 나무를 양손으로 꽉 움켜쥐었다.

"그러기 위해선. 먼저 이 악의 고리를 끊어내야 해요. 어깨를 짓눌렀던 멍에를 스스로 벗어던질 수 있어야 해요."

피페는 의자를 높이 들어 올렸다. 나무 의자가 천천히 공중을 휘감으며 올라갔다. 그녀의 두 팔이 포물선을 그리며 무대 위를 돌았다. 의자도 그녀와 함께 허공을 가로질렀다. 피페는 점점 더 빨리 돌기 시작했다. 그녀가 의자를 쥐고 있는지, 의자가 그녀를 잡고 있는지 알 수 없을 정도로 둘은 한 몸이 되어 팽팽 돌았다. 속도를 감당할 수 없을 정도로 회전력이 최고조에 달했을 때.

그녀는 의자를 놓았다.

나무 의자는 정확한 각도로 날아올라 오로라 얼음의 중심부를 강타했다. 얼음의 표면에 균열이 일었다. 안팎으로 퍼져 나가는 방사형의 실금들. 충격을 감당하지 못해 출렁이는 화려한 오로라의 빛. 빈약하게 지어진 오로라의 성은 안쪽부터 무너져 내렸다.

오로라 얼음은 순식간에 수백 개의 조각으로 갈라졌다. 꼭대기에 아슬아슬하게 서 있던 뾰족한 조각 하나가 심사관들을 향해 쓰러지기 시작했다. 심사관 중 하나가 비명을 지르며 자리에서 뛰쳐나갔다. 그들은 모두 사방으로 뿔뿔이 흩어져 객석의 어둠으로 몸을 숨겼다.

"뭐 해! 뭐 하냐고!"

심사관 중 하나가 버럭버럭 소리를 질렀다. 몰려드는 공포감을 이기지 못하겠다는 듯, 짐승 같은 소리를 내질렀다.

"잡아!"

어둠 속에서 사람들이 자신을 향해 달려오고 있는 게 느껴졌다. 아무것도 볼 수 없었지만, 피폐의 감각은 시력보다 좋았다.

"우리는 내일 당장 세상을 바꿀 수 없어요. 하지만 말할 수는 있죠."

피페는 마지막 말들을 전했다. 발소리는 점점 더 가까워지고 있었다.

"무엇이 옳고 그르며, 무엇이 우리를 병들게 했는지. 우리는 함께 이야기할 수 있어요. 하나의 말은 쉽게 사그라들겠지만, 반복되는 말들은 결코 한순간에 사라지지 않을 거예요. 조금씩 쌓여 가는 말들은 결국 외면할 수 없는 바람이 되어 이곳의 견고한 성벽을 무너트릴 테죠. 그 바람을 만들기 위해서 먼저 우리는 말해야 해요. 말하기 전에 보아야 해요. 진정한 우리의 모습을. 그럼 우린 변할 수 있어요."

그들은 무대를 에워쌌다. 피페를 향해 날아온 여섯 개의 손은 그녀를 앞으로 엎어트렸다. 몸의 마디마디를 움직일 수 없게 짓눌렀다. 하지만 숨을 쉴 수 없을 정도로 파고드는 그들의 힘을 느끼면서도 피페는 말을 멈추지 않았다.

"행복의 제물이 되지 말아요! 우리 모두 그렇게 되지 말아요! 그들이 만든 오로라의 성에서 벗어나세요. 이미 만들어진 행복의 모양에 당신의 꿈을 맞추지 말아요. 자유로워지세요! 우린 모두 그럴 자격이 있으니까요!"

두 팔을 단단히 묶고서, 그들은 피페를 일으켜 세웠다. 겨드랑이 사이로 파고드는 강한 손길이 느껴졌다. 양옆에 선 검은 옷의 사람들. 그들은 디버깅 요원들이었다. 징계 심사 때마다 만약의 상황을 대비해 로봇과 함께 객석 한 편에 서 있던 그들. 피페는 그들의 손에 붙들려 무대 밑으로 끌려 내려왔다.

"바람! 꺼지지 않는 바람이 되세요. 우리는 본연의 모습을 되찾을 수 있어요! 우리가 이야기를 시작하기만 한다면요!"

그 말을 끝으로 무대를 비추고 있던 조명이 꺼졌다. 완전한 어둠. 피페는 그 속을 디버깅 요원들과 함께 걸었다. 심사관들이 앉아 있던 책상을 지나 사람들이 있는 객석으로 향했다.

컴컴한 공기에 눈이 익숙해질 때쯤, 피페는 곳곳에서 씌어나는 빛을 보았다. 완전히 깨어져 버린 피페의 오로라 얼음. 작게 조각난 잔해들은 무대를 넘어 객석까지 날아와 있었다. 의자와 의자 사이, 통로와 통로 사이, 사람과 사람 사이에 흩어진 얼음 조각들은 특유의 빛으로 반짝였다.

피페는 오로라 얼음이 만든 빛을 뚫고 걸었다. 가루가 된 오로라는 땅에 피는 별처럼 피페의 모든 내딛는 걸음을 환하게 밝혀 주었다. 은은한 오로라의 빛. 피페는 그 속에서 마침내 보게 되었다. 내내 어둠 속에 있어 보지 못했던 사람들. 마주하고 싶었던 낯선 얼굴들. 그들은 붙들려 나가는 피페를 조용히 지켜보고 있었다.

그리고 시작된 박수. 자세히 듣지 않으면 박수 소리인지도 알 수 없을 정도로 미약하고 작은 소리였다. 하지만 누군가는 그 가녀린 소리를 들었고, 그 소리에 자신의 소리를 더했다. 세 번째 사람이 가세했다. 네 번째와 다섯 번째 사람의 소리가 동시에 시작되었다. 박수 소리는 이제 모두가 들을 수 있을 정도로 커져 있었다. 숫자는 열다섯에서 멎었다. 그중 셋은 자리에서 일어나 있었다. 땅에 피는 별들은 피페를 비추었던 것처럼, 그들을 비추어 주었다. 저 멀리에 서 있는 낯선 실루엣을 보며, 피페는 옅은 미소를 머금었다.

세상은 하루아침에 뒤바뀔 수 없었다. 하지만 원이 피페에게 그랬던 것처럼, 피페는 그들 안에 목소리를 심었다. 그녀가 만든 작은 얼룩은 지울 수 없는 흔적이 되어 또 다른 생각을 틔울 것이다. 하나둘 피어난 생각들은, 한 명씩 더해졌던 박수 소리처럼, 산발적인 울림이 되어 사람들을 일으킬 것이다. 기억의 소리는 그렇게 반복적으로 울려 퍼지며, 거대한 진동이 되어 오로라 제작소를 뿌리부터 뒤흔들 것이었다.

그리고 오늘은, 그 거대한 지각변동의 시작일 뿐이었다.

···

총 세 명의 디버깅 요원이 피페를 이끌었다. 징계위원회 사무실을 나오면서부터는 두 대의 경비 로봇이 무리에 합류했다. 로봇에게 충분히 인계할 수 있었음에도, 디버깅 요원들은 끝까지 그녀를 붙들고 있었다. 중앙관리실 앞에 다다라서야 피페는 그들의 손아귀에서 풀려날 수 있었다.

"기다리고 있어. 관리자를 만나고 올 테니."

요원들 중 가장 높은 직급으로 보이는 사람이 중앙관리실 안으로 사라졌다. 그곳은 부아가 근무하는 곳이었다. 피페는 지금쯤 징계 심사 소식을 듣고 있을 부아에게 참으로 미안했다. 오로라 제작소는 오로라 제작자의 파면이나 징계를 언제나 관리자 과실로 돌렸다. 피페가 벌인 소동 때문에 부아는 다음 달부터 월급이 삭감되거나 기나긴 무급 휴가를 받게 될지도 몰랐다.

그도록 무수히 많은 제작자가 오로라 제작소에서 사라졌음에도 그들은 한 번도 규정을 바꾸지 않았다. 하지만 불합리한 규정에 반박하는 관리자는 한 명도 없었다. 관리자라는 안정된 직업이 안겨 주는 여러 이점을 포기할 수 없었기에, 대부분은 불이익을 떠안은 채 살아갔다. 오로라 제작소에서 침묵을 지키는 이들은 오로라 제작자들만이 아니었다.

"얘기가 꽤 길어지는군. 세 시에 상담이 있는데."

피페의 왼쪽에 서 있던 디버깅 요원이 중얼댔다.

"세 시?"

오른쪽에 서 있던 요원이 되물었다.

"어, 세 시. 늦게 생겼네. 하, 이것 참."

"다른 사람한테 넘기면 안 되는 거야?"

"지금 콜 넣고 있는데 다들 답이 없네. 강당 정리하느라 여념이 없나 봐. 지금 모든 요원들을 강당으로 집결시켰대. 상황이 정리될 때까지 지키고 있으라고. 강당이 징계위원회 사무실 안에 있잖아. 다들 징계위원회를 가로질러서 작업실로 돌아갈 테니, 무슨 일 일어나지 않게 잘 감시하라는 거지."

그는 그렇게 말하면서 피페를 째려보았다. 헬멧에 가려 그의 눈을 볼 수는 없었지만, 피페는 그가 자신을 노려보고 있다는 걸 알았다.

"그럼 가 봐."

오른쪽에 서 있던 디버깅 요원이 말했다.

"뭐?"

왼쪽에 서 있던 디버깅 요원이 반문했다.

"상담. 가라고. 가야 한다며. 그럼, 가야지. 늦을 순 없잖아."

"여긴 어떡하고?"

"경비 로봇이 둘이나 있는데 뭘 어떡하긴 어떡해. 여긴 신체 상태가 거의 노인이야. 팔도 다 꽁꽁 묶여 있고. 아무리 빨리 달려봤자 로봇보다도 느릴걸? 여긴 나만 있어도 충분해."

오른쪽 디버깅 요원이 피페를 가리키며 말했다. 왼쪽 디버깅 요원은 그의 말에 마음이 동하는 듯, 고민하는 모습이었다.

"어.. 그럼, 나 그냥 가? 진짜 가?"

"가. 상관 오면 너 상담 있어서 갔다고 할게."

왼쪽 디버깅 요원은 잠시 망설이다가 뒷짐을 지고 있던 손을 스르르 풀었다.

"할멈. 딴생각했다간 진짜 끝장나는 거야, 알겠어?"

괜히 한 번 윽박지르더니, 복도 저편으로 빠르게 사라졌다.

잠시 침묵이 흘렀다. 양옆의 로봇이 웅웅거리는 소리만 복도를 채웠다.

"왜 그랬어요?"

디버깅 요원의 질문. 피페는 그 소리에 문득 정신이 들었다.

"예?"

"왜 그랬어요?"

디버깅 요원이 다시 물었다.

"오로라 제작기가 폭발한 게 좀 큰일이라 그렇지, 꿈 몸살이 그리 심하지도 않았다면서요. 가만히만 있었으면 무사히 넘어갈 수 있었어요. 마지막에 오로라 얼음을 깨부수면서 일장 연설만 하지 않았더라면."

피페는 아무 말이 없었다.

"안타까워서 그래요."

디버깅 요원이 짧게 덧붙였다.

"이것도 일종의 심사인가요?"
"아니요. 그냥 순전한 제 궁금증."

피페는 디버깅 요원의 답에 입을 다물었다.

"이제 어쩔 셈이에요?"

디버깅 요원이 다시 물었다.

"제 생각을 말해 볼까요? 병동으로 직행. 중앙관리실 보고만 끝나면 바로 병동으로 이송될 거예요. 이건 저도 들은 건데, 거긴 진짜 지옥이라는 소문이..."
"우리 구면이죠?"

피페의 물음에 디버깅 요원이 말을 멈추었다.

"제가 징계받거나 퇴출되면 당신한테도 불이익이 가나요?"

디버깅 요원은 잠시 머뭇거렸다.

"아니요, 그런 건 없어요. 디버깅 요원은 오로라 제작자들과는 별개예요. 애당초 삭감될 월급도 별로 없거든요."
"그럼 조언은 그쯤 하시죠."

피페가 퉁명스럽게 말했다.

"후회하지 않아요?"

하지만 디버깅 요원은 질문을 그만두지 않았다.

"후회할 거였으면 시작조차 하지 않았을 거예요."

피페가 답했다.

"그럼 병동도 괜찮아요?"
"병동이 어때서요?"
"갇혀 있잖아요, 평생."
"그건 모르는 일이죠."
"뭐, 다른 뜻이 있는 거예요?"
"다른 뜻이 있다면 지금 여기서 고백이라도 할까요?"
"나쁘지 않죠. 사고도 미연에 방지할 겸."

피페는 콧방귀를 뀌었다.

"그럼, 만약에. 만약에 말이죠. 병동에 가지 않아도 되는 방법이 있으면 어떻게 할래요?"

디버깅 요원의 질문. 잠깐의 정적.

"그렇다고 오로라 제작소에 묶여 있지도 않아도 돼요. 완전히 새로운 선택지죠."

"맞네요. 이것도 일종의 시험이에요. 그죠?"

"시험이라뇨. 뭐 그리 섭섭한 소리를."

피페는 고개를 돌려 디버깅 요원을 보았다. 디버깅 요원의 목소리가 미묘하게 바뀌어 있었다. 굵은 남자의 목소리는 사라지고, 옅은 여자의 목소리가 헬멧 안에서 새어 나왔다. 지난번과 같은 목소리 변화. 하지만 피페는 이제 그 목소리의 주인이 누구인지 알 것 같았다. 그건 절대 잊을 수 없는 목소리였다.

"소로?"

순간적으로 내뱉은 이름. 며칠 동안 오로라의 꿈을 오가며 떠올렸던 그녀와의 대화. 포기하고 싶을 때마다 마음을 다잡게 해주었던 목소리. 피페가 그 목소리를 쉽게 잊을 수 있을 리 없었다.

쉿. 디버깅 요원이 조용히 하라는 듯이 헬멧의 하단부에 손가락을 가져다 댔다.

"처음부터 당신이었어요?"

피페가 한껏 속삭이며 물었다.

"호랑이를 잡으려면 호랑이굴에 들어가야 한다는 말 몰라요?"

익숙한 목소리가 헬멧 밖으로 흘러나왔다.

"아니, 근데 왜..."

"왜 디버깅 요원이냐고요?"

소로의 말에 피페가 고개를 끄덕였다.

"난 오로라 제작자가 될 수 없는 사람이에요. 관리자는 신임을 얻은 사람만 될 수 있고요. 일종의 정규직이랄까요. 그러니 고작 사회초년생인 제가 여기서 할 수 있는 일이 뭐가 있겠어요. 디버깅 요원뿐이죠. 디버깅 요원은 삼 개월에 한 번씩 바뀌는 계약직이거든요. 아무나 마구잡이로 뽑는다고요."

"이런 말 함부로 해도 돼요? 로봇들도 있는데?"

피페는 주변을 흘긋대며 물었다. 소로는 그 말에 어깨를 으쓱했다.

"로봇은 아까부터 절전모드로 전환해 두었어요. 그리고 어차피 켜져 있다고 해도 우리 대화를 들을 수는 없어요. 방금 무전기를 켰거든요. 이거 알죠?"

소로는 손가락으로 피페의 귀밑을 가볍게 두드렸다. 귀밑에서 익숙한 감촉이 느껴졌다. 동그란 스티커 무전기. 반경 1미터 이내의 사람들과만 소통할 수 있는 통신 기계. 원이 발명했고, 오직 그만이 사용했던 장치.

"이걸 어떻게..."

피페는 귀밑을 만지작거리며 중얼거렸다.

"아까 이송하는 중에 슬쩍 붙여 뒀죠. 우리 대화를 듣는 사람은 아무도 없어요. 지금 피페 입 모양만 조심한다면 감시 카메라도 우리의 대화를 알 수 없을 거예요."

소로는 피페를 향해 헬멧을 살짝 기울였다.

"이왕 아무도 듣지 못하는 김에 제가 작은 비밀 하나 알려 줄까요?"

그녀는 잠시 말을 멈추고 피페의 답을 기다렸다. 피페가 고개를 끄덕이자 그녀는 말을 이었다.

"지금 제가 말하는 대로만 하면 병동 행은 면할 수 있는데, 어떻게 할래요?"

피페가 소로를 돌아보았다.

"하지만 날 몰래 빼돌리면 소로가 위험해질 거예요."
"위험할 줄 알았으면 시작조차 하지 않았어요."

소로가 단호하게 말했다.

"세상은 생각보다 넓어요, 피페. 드넓은 세상에는 오로라 제작소가 잘못되었다는 걸 아는 사람들이 있죠. 비록 소수지만, 하나둘씩 모여들어 규모를 키우고 있어요. 우리는 오로라 제작소가 함부로 넘볼 수 없을 정도로 거대한 지하조직이 될 거예요. 그리고 오로라 제작소는 우리의 손에 무너질 테죠."

소로는 주머니에서 작은 리모컨을 하나 꺼내서 허공에 대고 버튼을 눌렀다. 그러곤 피페의 손목을 결박하던 수갑을 풀어 곁에 있던 로봇의 두 발목에 채웠다.

"지금부터는 피페의 선택이에요. 나와 함께 갈 건지, 그러지 않을 건지."

소로의 검은 헬멧이 피페에게 말했다.

"너무 답이 정해진 질문 아닌가요?"

피페는 빙긋 웃으며 말했다.

"좋아요. 그럼 이제 4분 남았어요."

소로가 손목에 차고 있는 시계의 액정을 확인하며 말했다.

"감시 카메라 교란 신호는 아무리 길어도 5분을 넘지 못해요. 그 안에 제작소 정문까지 도달해야 해요. 이건 피페가 가야 할 곳이 적힌 종이에요. 나가서 펼쳐 보도록 해요. 자, 그럼 이걸로 날 한 대 치고 달려요."

소로가 피페의 손에 무언가를 건네주었다. 휴대용 전기충격기. 난동을 부리는 오로라 제작자를 진압할 때 사용하는 디버깅 요원들의 무기였다.

"얼른요!"

피페는 전기충격기의 전원을 켜고 소로의 복부를 타격했다. 가장 약한 전류였지만, 소로는 맥없이 쓰러졌다. 피페는 어쩔 줄 몰라 하는 손길로 충격기를 소로의 곁에 내려놓고서, 달리기 시작했다.

숨이 턱 끝까지 차올랐다. 참으로 오랜만에 해 보는 질주에 심장이 금방이라도 터질 듯이 부풀어 올랐다. 하지만 멈출 수는 없었다. 다리가 경련을 일으키고, 팔이 제멋대로 휘날려도, 그녀는 달렸다. 쉬지 않고 내달렸다.

그녀는 필사적인 몸짓으로 그곳을 탈출했다.

꿈은 행복을 만듭니다.

얼토당토않은 말이야. 피페는 오로라 제작소 정문을 지나며 생각했다. 정문에 걸린 빛바랜 문구들은 녹슬고 삐거덕댔지만, 그들은 한 번도 슬로건을 바꾸지 않았다.

하지만 그들은 틀렸다. 오로라의 꿈으로는 행복을 만들 수 없었다. 헛된 욕망으로 만들어낸 거짓 행복은 절대 진정한 현실이 될 수 없었다. 피페는 마침내 그 사실을 깨달았고, 이제 그 사실을 깨닫기 이전으로 되돌아갈 수 없었다.

하얀 종이

무겁고 둔탁한 철문이 서서히 움직였다. 피페는 좁은 틈 사이로 간신히 빠져나와 납작한 손잡이를 힘껏 밀었다. 녹이 슨 경첩에서는 또 한 번 신경질적인 소리가 들려왔다. 곧이어 쾅 하는 소리와 함께 문이 닫혔다.

비상시에 오로라 제작소 밖으로 탈출할 수 있도록 설계된 방화문이었다. 아무런 전자 장치도 없어 온몸으로 힘겹게 밀어야만 열리는 오래된 낡은 철문. 피페가 오로라 제작소에 처음 들어왔을 때, 안전 문제로 신설되었던 정문 근처의 작은 출구였다. 그녀는 일부러 출입 기록을 남기지 않기 위해 제작소를 한 바퀴 빙 돌아 이곳까지 왔다. 그 문의 존재를 알고 있는 사람이 이제 오로라 제작소에 거의 남아있지 않기 때문이었다. 그들은 그녀를 찾는 데 분명 상당한 시간을 허비할 것이었다.

피페는 마침내 숨을 골랐다. 신선한 공기를 양껏 들이쉬자 잔뜩 경직되었던 몸이 점차 안정을 되찾기 시작했다. 오로라 제작소의 담벼락에 몸을 기대었다. 더 멀리 가기 위해서 우선은 잠시 쉬어야 했다.

주머니에 찔러넣었던 종이를 꺼내 들었다. 소로가 건넨 종이. 작은 종이는 주머니 안쪽에서 잔뜩 구겨져 있었다. 피페는 꼬깃꼬깃 접힌 종이를 정성스레 펼쳤다. 심장이 뛰었다. 힘에 겨워 뛰는 박동은 아니었다. 신선하고 새로운 감정. 피페는 마침내 자신이 자유의 몸이 되었다는 사실을 깨달았다.

마침내 종이를 열어 보았다. 기대감 가득한 눈으로 종이 안에 적힌 글자를 읽으려던 그때.

"어?"

그녀는 놀랄 수밖에 없었다.
종이에는 아무것도 적혀 있지 않았다.

피페는 텅 빈 백지를 멍하니 내려다보았다. 작은 점 하나 없는 순백의 하얀색. 주체할 수 없이 몰려드는 허탈감. 그리고 뒤따르는 배신감.

마지막까지 시험이었어. 이마저도 시험이었던 거야.

몸이 벽을 타고 스르르 미끄러져 내렸다. 어마어마한 감정의 파고가 출렁이기 시작했다. 정제되지 않은 벽돌들이 등을 타고 흘러내렸다. 울퉁불퉁한 콘크리트 조각들은 그녀의 발바닥을 찔렀다. 피페는 발에 걸리는 거추장스러운 돌멩이 하나를 냅다 차 버리며 자리에 주저앉았다. 이젠 어떻게 해야 하지? 눈앞이 하얘졌다.

발을 맞고 날아간 돌멩이는 반대편 담벼락에 부딪힌 후 바닥으로 추락했다. 충격을 이기지 못한 채 한참을 데구르르 굴렀다. 돌멩이를 감싼 옅은 비닐이 바람에 쉴 새 없이 나부꼈다. 사방은 곧 바스락거리는 소리로 채워졌다.

머리를 움켜쥐고 몸을 웅크렸던 피페가 고개를 들었다. 작고 하얀 원이 눈에 들어왔다. 투명 비닐에 싸인 설탕 덩어리. 그건 둥그런 알사탕이었다.

사탕은 바람결에 밀려 조금씩 앞으로 굴러오다 피페의 손에 부딪히며 멈추어 섰다. 피페는 사탕을 집어 들었다. 물끄러미 바라보다 망설임 없는 손길로 비닐 안에 담겨 있던 하얗고 작은 알사탕을 입 안에 던져 넣었다.

"아무렴, 어때."

피페는 사탕을 감싸고 있던 투명한 비닐로 소로가 건넨 종이를 감쌌다. 그러고는 두 장의 얇은 그것들을 주머니에 쑤셔 넣었다.

사실 종이에 무어라 적혀 있던 답은 정해져 있었다. 그녀가 가야 할 종착지는 한 곳뿐이었다. 그녀가 만나야 할 사람은 단 한 명뿐이었다. 윈. 그녀의 새로운 이야기는 거기서부터 다시 시작될 것이었다.

피페는 담벼락을 따라 걸었다. 빨라지던 걸음은 점차 경쾌한 발놀림이 되었다. 리듬감 있게 땅을 박차고 뛰어오르는 두 발. 그녀는 오로라 제작소의 끝을 향해 나아갔다. 조금씩 가빠지는 걸음. 한 걸음, 그리고 또 한 걸음. 한낮의 햇살이 골목 안으로 밀려들었다. 피페를 뒤따르던 기다란 그림자가 조금씩 옅어져 갔다. 검은 도로 위에 짙게 드리워진 노인의 그림자가, 서서히 사라지고 있었다.

후일담

그냥 그렇게 사는 것만으로도 타인에게는 폭력이 될 때가 있습니다. 생존의 문제이기 때문에 어쩔 수 없다고 스스로를 설득해 보지만, 우리 모두 알고 있죠. 생존은 잔인한 투쟁의 과정입니다. 그래서 아무것도 하지 않고, 아무 의도 없이 다만 살아갈 뿐임에도 우리는 가끔 가담하게 됩니다. 그리고 우리의 침묵에 누군가는 질식의 공포를 느끼죠.

세상을 무작정 힐난하려는 건 아닙니다. 저도 생존이라는 변명으로부터 그다지 고결하지 않으니까요. 모두가 그렇죠. 우리는 매일을 방관자이자, 가해자이자, 피해자로 살고 있습니다. 의도와 상관없이 누군가를 배제하고, 배제당하며, 잠재적 배제의 가능성이 밀려올 때마다 두려움을 떨쳐내고자 각자의 어려운 싸움을 해 나가는 중이죠.

전 가끔 그런 세상을 이해할 수 없습니다. 나이를 꽤 먹었지만, 아직도 세상의 이치는 어렵기만 합니다. 가치를 상실했다고 판단된 순간부터 가차 없이 버려지는 행태, 그리고 그렇게 버려진 이들을 단지 지켜보기만 하는 사람들. 자신과 아무 관련 없는 일인 양 외면하거나 다음 순번이 혹시 자신일까 걱정하여 큰 소리 한 번 제대로 내지 못하는 이들. 세계 곳곳에서 만연하게 자행되는 사건들입니다. 국가, 장소, 집단을 불문하고 지난

몇백 년, 혹은 몇천 년 동안 반복되어 온 세상의 이치죠. 당연한 사실로 받아들일 때도 되었건만, 저는 가끔 그 사실이 낯설게만 느껴집니다.

오로라 이엘로는 꿈이라는 노동으로 행복 물질을 만드는 이야기입니다. 그리고 그 외의 부분은 모두 공백이죠. 제가 쓴 이야기이지만, 전 아직도 피페의 서사에 적응 중입니다. 이건 어떤 이야기일까요. 로맨스 소설일까요, 전우애가 담긴 일화일까요, 죄책감이 스민 회한일까요, 자유와 안정을 향한 열망일까요, 미친 사람의 넋두리일까요, 혹은 전혀 다른 무엇일까요. 이야기를 마친 지금까지도 확실치 않습니다.

하지만 한 가지는 명확합니다. 글을 쓰는 내내 저는 자꾸만 새로운 저의 모습을 꺼내 보게 되었습니다. 그리고 깨달았죠. 사회라는 거대한 공동체에 적응하려고 애썼던 지난 시간이, 은연중에 곪고 피페해진 마음이 저를 쓰게 했다는 사실을요. 한 가지가 선명해지니 다른 질문에 대한 답이 보이더군요.

그러니 작가로서 할 수 있는 가장 무책임하고도 현명한 답으로 혼자만의 고민을 결론지으려 합니다. 피페의 서사가 무엇인지 결정하지 않고, 끝까지 공백으로 두기로요. 제 안에 있던 피페의 이야기는 이제 끝이 났으니, 지금부터는 온전히 독자의 몫일 겁니다. 피페의 이야기는 당신에게 어떻게 다가갔을까요. 당신은 피페의 세상을 어떻게 정의할까요. 독자의 시선으로 그리는 <오로라 이엘로>는 어떤 모습일지가 궁금해집니다.

숨겨진 제목

<오로라 이엘로>에는 감추어진 부제가 있습니다.
다음 장을 넘겨보시면
소설의 숨겨진 제목을 확인하실 수 있습니다.

그리고 작은 메시지도요.
삶이 힘들 때면 가끔 펼쳐 보세요.
그 안에 담긴 말이 당신을 위로해 줄 거예요.

행복의 제물

"행복의 제물, 우리는 모두 행복의 제물이에요."

세상은 매일같이 새로운 행복의 모양을 만들어냅니다.
그리고 그들이 만든 행복이라는 이름의 욕망에
우리는 자꾸만 삶의 모양을 꿰맞추려 하죠.
하지만 그게 과연 행복의 전부일까요?

만약 세상이 정해 놓은 행복이 당신을 버겁게 한다면
지금, 이 순간만큼은 정해진 행복에서 벗어나 보세요
행복의 제물이 되지 마세요
자유로워지세요

지금부터는
당신만의 모습으로
행복해지는 거예요

✦